L'ATELIER
DES MIRACLES

D1292464

Big, Nil éditions, 1997.
Gabriel, Nil éditions, 1999.
Où je suis, Grasset, 2001.
Ferdinand et les iconoclastes, Grasset, 2003.
Noir dehors, Grasset, 2006.
Providence, Stock, 2008.
L'Ardoise magique, Stock, 2010.
La Battle, Éditions du Moteur, 2011.

www.editions-jclattes.fr

Valérie Tong Cuong

L'ATELIER
DES MIRACLES

Roman

JC Lattès

Maquette de couverture : Bleu T
Photo : Chris Ryan / Getty Images

ISBN : 978-2-7096-4279-8

© 2013, éditions Jean-Claude Lattès.
Première édition janvier 2013.

À Éric, un miracle.

MILLIE

L'odeur âcre, violente, s'insinuait dans chaque espace libre de mon corps, me piquait le nez et la gorge, assaillait mon cerveau englué de sommeil de ses rafales hargneuses.

Je refusais de me réveiller. Je voulais dormir jusqu'au bout de la nuit et, tant qu'à faire, jusqu'au bout du week-end. Passer directement du vendredi soir au lundi matin, sans respirer, sans rêver, sans penser, d'une seule traite, d'une seule lutte.

Comme un enfant maladroit traverse la piscine sous l'eau, poussé par le maître nageur et les huées de ses camarades, épuisant ses ultimes réserves d'air pour atteindre le bord opposé, caressant la mort, l'admettant déjà. Puis soudain, agrippant de ses doigts tendus la pierre poreuse, regonfle ses poumons et surgit en s'ébrouant, à la fois étourdi et reconnaissant d'avoir survécu.

La toux brûlante m'arrachait à la nuit. J'ai entrouvert les yeux. Face à moi, une longue langue de fumée sombre se mouvait en silence à travers la fenêtre entrebâillée, léchant le papier peint jauni jusqu'au plafond.

Le feu! Mon corps s'est soulevé dans un spasme, je n'étais plus sûre d'être éveillée, j'avais l'esprit scindé en deux, une moitié criant, Eh bien voilà, Millie, c'est l'heure des comptes, l'heure de vérité, celle de *payer* et de *les rejoindre* car après tout il faut bien que quelqu'un expie! L'autre moitié se rebellant, refusant, Ne pas faire de lien hâtif, fuir les signes, les concordances, la psychologie de comptoir, cet incendie est le fruit du hasard, forcément, un accident, une pure coïncidence, alors se concentrer et agir, puisque le feu *tue*.

Je m'étais écroulée quelques heures plus tôt sur le canapé-lit, titubante, toute habillée, pas démaquillée, même pas les dents brossées. Incapable de faire un geste supplémentaire, à bout de forces.

J'étais pourtant intransigeante sur les règles de soin et d'hygiène. Je me lavais les mains cent fois par jour et les cheveux à chaque douche. Je me frottais à la pierre ponce, vérifiais mes ongles à tout instant, traquais la poussière matin et soir, lessivais entièrement le sol une fois par semaine. Au bureau – lorsque j'avais un emploi –, armée de lingettes désinfectantes commandées par cartons, je nettoyais tout ce qui se trouvait à ma portée. Rédigeais des check-lists : vider les pots à crayons des éclats de mine, ranger les tiroirs, vérifier les agrafeuses après chaque usage, débrancher les imprimantes en fin de journée. Il m'était même arrivé de faire les vitres, un jour où j'avais terminé mon travail en avance. Une initiative peu appréciée par la directrice de l'agence d'intérim qui m'avait sèchement mise en garde : si je tenais à demeurer dans ses fichiers, il faudrait m'en tenir aux tâches de secrétariat décrites dans mon contrat. Des laveurs de carreaux et des femmes de ménage, l'agence en avait plein ses registres.

Cette société me fournissait les deux tiers de mes missions : je m'étais donc excusée platement et avais réservé mes pulsions purificatrices à une sphère strictement privée.

Ce soir-là cependant, justement ce soir-là, l'alcool avait eu raison de mes principes. Jambes molles, regard voilé, à peine le seuil franchi, je n'aspirais plus qu'à dormir.

Et puis quoi, avais-je pensé : il n'y avait personne pour me voir, encore moins pour m'embrasser, se coucher à mes côtés. Personne à décevoir, en somme. C'était bien le seul intérêt à être celle que j'étais. Alors, pour une fois !

J'avais posé mon sac à main derrière les coussins et m'étais endormie aussitôt allongée, sans même ôter mes chaussures.

Je me suis précipitée vers la fenêtre. Dans l'aube grisâtre, un attroupement s'était formé au pied de l'immeuble. Des gens arboraient des mines effrayées et s'agitaient en indiquant la façade. Mon cœur s'est soulevé, agglomérant les images, les bruits, les odeurs, les mots, les douleurs. Morsure du feu, compression des poumons, décès par asphyxie.

Peut-être avais-je voulu cet incendie? Peut-être l'avais-je espéré, tout au fond, là où se tapit l'inconscient? Peut-être l'avais-je provoqué? Ça ne pouvait pas être le hasard, non. C'était statistiquement impossible.

Quoique.

Tu y es Millie. Au pied du mur. Alors décide, maintenant.

La fumée provenait de l'étage inférieur. Ce vieil ours de Kanarek avait dû oublier son bortsch sur sa cuisinière à gaz. Il perdait la tête. Ces derniers temps, je l'avais trouvé plus d'une fois devant le porche de l'immeuble, haranguant les passants, déclamant avec fièvre des passages de son auteur favori, qu'il nommait pompeusement «le grand M. Dostoïevski». Il mâchonnait ses mots dans une bouillie verbale rageuse dont surgissaient pauvres gens, mépris, amours déçues, compromis et amitiés trahies. Les voisins et les commerçants du quartier le jugeaient fou et le tenaient à distance. Il se murmurait qu'il pourrait bien, un beau matin, s'emparer d'un couteau de boucher et faire un carnage. Ou *mettre le feu* à l'immeuble.

Pauvre Kanarek. S'il s'en sortait, il ferait un beau coupable. Et si je m'en sortais – mais pourquoi m'en sortirais-je? – mon avis ne pèserait pas lourd face à la coalition des propriétaires.

J'ai jeté un coup d'œil circulaire pour tenter d'évaluer la situation, reprendre le contrôle, analyser. Ne pas céder à la panique.

C'est le hasard, Millie, c'est comme ça, c'est tombé sur toi, Kanarek est un pauvre diable que tu n'as pas choisi pour voisin. Le voilà lui aussi dans de beaux draps. Allons, ne perds plus une minute, réfléchis, vite, que prend-on lorsque l'on fuit les flammes, qu'est-ce qui compte, à quoi l'on tient, ce dont on ne pourrait se séparer sous aucun prétexte? Tout le monde s'est déjà posé cette question! Tout le monde sait ce qui lui est indispensable!

Même toi, forcément.

Pour certains, ce sont les souvenirs, les albums photos, des lettres rangées dans une boîte à chaussures, un bibelot rapporté de vacances, un violoncelle stocké depuis l'enfance au fond d'un placard. Pour d'autres, ce sont le livret de famille et le contrat de mariage, le courrier de la caisse de retraite ou des objets de valeur, bijoux, tableaux, montres : tout ce qui définit, encadre, démontre une existence, tout ce qui garantit un avenir. Alors Millie? Alors?

Je ne possédais rien de tout cela. Mon dossier administratif se résumait aux courriers de Pôle emploi et à une poignée de contrats d'intérim. Mes souvenirs des dix dernières années, à trois ou quatre cartes postales de mes parents, au dos desquelles était invariablement écrit «bons baisers», une formule qui en disait long sur leur manière de m'aimer.

Je ne détenais aucun objet de valeur et tout ce qui meublait ce studio appartenait à la jeune ethnologue qui me l'avait sous-loué quelques mois plus tôt en toute illégalité avant de s'envoler pour une mission de trois ans en Corée du Sud.

Mon bien le plus précieux, je l'avais aux pieds : une paire de chaussures achetée une fortune le weekend précédent, non qu'elle soit particulièrement belle ou confortable, mais parce que je n'avais, une fois de plus, pas su dire non à un vendeur tenace.

La fumée s'épaississait. Pourquoi avait-il fallu que l'incendie se déclare précisément cette nuit, alors que j'étais ivre pour la première fois de ma vie ?

C'est qu'à ces gens-là non plus, la veille, je n'avais pas su dire non. C'était mon dernier jour dans l'entreprise, une journée particulièrement ennuyeuse employée à servir des cafés et distribuer le courrier : sachant que je quittais mon poste, et malgré deux mois de bons et loyaux services exécutés avec rigueur, personne ne me confiait plus la moindre responsabilité depuis le début de la semaine.

L'atelier des miracles

Je m'étais éclipsée vers dix-neuf heures, après
avoir serré la main molle de la directrice des ressources humaines, qui m'avait félicitée pour mon
travail mais s'était trompée sur mon prénom.

Devant l'ascenseur, un groupe de jeunes commer-
ciaux s'apprêtait à passer la soirée ensemble. L'un
d'eux m'avait soudain proposé de les accompagner.
Nous nous connaissions à peine et n'avions rien en
commun. Ils étaient pleins d'énergie, de projets, de
promesses d'avenir, portaient des vêtements chics,
employaient à tout bout de champ les adverbes
«excessivement» ou «extraordinairement» et pos-
sédaient tous le même smartphone – un modèle qui
coûtait la moitié de mon salaire.

J'étais une intérimaire de passage, habillée en sol-
derie et dotée d'un diplôme flou dont ils ignoraient
même qu'il existât. Je ne connaissais pas grand-
chose à la *hi-tech* ni à toutes ces inventions qui,
paraît-il, avaient *accéléré l'ère de la communication*
– il faut dire que je ne communiquais pas beaucoup.

Bref, n'importe qui à ma place aurait refusé cette
invitation saugrenue mais moi, sans bien savoir
pourquoi, j'avais répliqué : pourquoi pas.

Bien plus tard, après avoir passé la soirée à avaler
des bières et des mojitos en quantités astronomiques
pour me donner une contenance, j'ai compris qu'il
s'agissait d'un malentendu. L'invitation lancée
devant l'ascenseur ne s'adressait pas à moi, mais à
la directrice juridique qui attendait derrière mon

épaule. J'avais répondu avec tant de promptitude que personne n'avait eu le courage de me détromper.

Si, ce soir-là, je m'étais contentée de ce qui était prévu (rentrer chez moi, manger une assiette de pâtes en regardant un programme quelconque à la télévision, me coucher vers vingt-deux heures, puis avaler un de ces comprimés qui vous assomment avec obstination), ce matin, sans doute, j'aurais eu les bons réflexes ; le corps défatigué et l'esprit alerte, je me serais souvenue de ce qu'on lit dans les journaux à longueur d'année – et que j'avais tant de fois étudié –, les précautions à prendre, la conduite à tenir, le linge mouillé au pied des portes, attendre les secours en s'allongeant au sol pour mieux respirer, surtout ne pas chercher à échapper aux flammes à tout prix.

Si je ne m'étais pas saoulée la veille comme une adolescente, j'aurais entendu la sirène des pompiers traverser la ville et j'aurais su que bientôt des hommes casqués et bottés à l'allure de héros déploieraient une immense échelle et viendraient me cueillir avec pré-caution sous les vivats des badauds pour me mettre en lieu sûr. J'aurais résisté à la terreur qui me gagnait, je me serais raisonnée, après tout, la fatalité n'était rien d'autre qu'un argument justifiant la lâcheté, le pessimisme d'humeur et l'absence de volonté.

Avec un peu de chance, les héros casqués auraient stoppé le feu avant qu'il ne ravage mon appar-tement. J'en aurais été quitte pour quelques heures de lessivage et j'aurais poursuivi ma route, à peine troublée, une route rectiligne, sans promesse et sans débat, qui dessinait chaque nouveau jour à l'identique du précédent.

Au lieu de ça, je me suis précipitée sur la porte d'entrée sans même prendre de quoi me protéger. Une masse noire et puissante m'a aussitôt repoussée vers l'intérieur, un nuage brûlant, étouffant qui attaquait ma peau et mes cheveux, chauffait l'air et le sol jusqu'à l'incandescence, cisaillait mes poumons. J'ai compris qu'il n'y avait plus aucune chance de sortir de cette pièce, et tout ce que j'enfouissais en moi avec application depuis plus de onze ans a jailli avec férocité.

Je me suis approchée de la fenêtre, retenant ma respiration pour ne pas nourrir le brasier qui me dévorait déjà de l'intérieur, et j'ai enjambé l'allège en hurlant.

Le tracé de ma route venait de former une épingle à cheveux.

Monsieur Mike

J'aurais dû le voir venir. Ça faisait un bout de temps qu'il rôdait comme un requin autour d'un foie de veau, moitié convaincu, moitié agressif, à me regarder de travers. Cela déplaisait à môssieur que je me sois installé là, sur ces marches, *ses marches*, à *sa place* soi-disant, parce que tout le monde savait, paraît-il, que c'était *son territoire*. Comme l'avorton ne se sentait pas de taille à chercher des poux sous le bonnet d'un marin, il s'était néanmoins réfugié sous le porche voisin, moins accueillant je l'admets, mais quoi, c'était un poste honnête pour chouffer la sortie des poubelles. Je n'avais pas eu besoin de lui raconter le pays en détail : le premier jour, il s'était pointé en braillant d'une voix de castrat – j'étais assis, il n'avait pas encore noté les trente kilos et les vingt centimètres qui nous séparaient irrémédiablement. Je me suis déplié en prenant mes aises,

je l'ai attrapé par le col de sa chemise, une brin-
dille, une sauterelle, un farfadet poisseux, et je lui ai
simplement dit, Écoute-moi bien mon gars, maintenant c'est chez moi et on n'en parle plus.

Il a fait mine d'accepter. En signe d'entente cor-
diale, j'ai poussé la bonté jusqu'à lui offrir un godet
de ma binouze – il n'a pas craché dessus, le traîne-
bâton. Selon moi c'était donc une affaire réglée.

Depuis, je ne dis pas que c'était l'amour tendre,
mais chacun ses marches, chacun chez soi, on avait
fini par s'habituer l'un à l'autre, on se faisait même la
conversation. Ou plutôt je la faisais, parce que s'exprimer, il ne savait pas trop, il manquait de muni-
tions n'ayant pas fréquenté longtemps le système
scolaire. Du moins était-ce la justification officielle
qu'il servait. La vérité c'est que son cerveau aurait eu
besoin d'être vidé, essoré de toutes les traces, réparé
de tous les dégâts qu'il s'infligeait quotidiennement
en absorbant ses saloperies planqué dans les cages
d'escalier, et vas-y que je te troue, partout il s'en
fourrait, jusque dans la bite, sous la langue, dans
l'œil même quand il ne trouvait plus de veine libre.
Et à chaque fois ça lui mangeait une poignée de
neurones, il devenait un peu plus con, sans compter
qu'il perdait ses dents une à une, allez donc articuler
quand il vous reste à peine une demi-douzaine de
chicots, plus noirs que jaunes, poreux comme une
éponge.

Je n'ai pas fait non plus d'études supérieures, j'ai
quitté l'école le jour pétant de mes seize ans, mais ça

ne m'a pas empêché de lire les journaux, de bouffer des bouquins et d'écouter la radio à chaque fois que j'ai pu : il y a longtemps que je l'ai compris, l'ignorance est plus dangereuse qu'une grenade dégoupillée.

On menait donc une petite vie tranquille, si on peut dire, parce qu'il y a quand même quelques inconvénients à la rue, les intempéries, le dos cassé à force d'être assis toute la journée à trente ou quarante centimètres du sol ou debout à piétiner, mais pour le reste, pas de quoi se plaindre, on becquetait bien mieux qu'à l'armée, et de tout, yaourts, fromages, jambons, légumes et toutes sortes d'autres aliments jetés chaque soir encore emballés, bénies soient les dates limites de consommation.

Les poubelles étaient sorties à dix-neuf heures de la supérette. À dix-huit heures trente, ça commençait à affluer de partout. Des Roumains, des retraités, des jeunes et leurs cabots, des miséreux, des mères de famille. Le farfadet se collait contre la porte pour être sûr d'être le premier servi. Les hommes se répartissaient le long du trottoir, les mains dans les poches. Les femmes se rassemblaient en petits groupes, elles en profitaient pour se donner des nouvelles, se faisaient la bise tout en surveillant les battants du coin de l'œil, toujours sur le qui-vive. Dès que les containers apparaissaient, les amitiés disparaissaient, ça se poussait, ça fouinait, ça fourrageait à coups de coudes et à coups de griffes pour récupérer le plus appétissant. Moi, j'attendais. Les habitués m'apportaient une partie du butin. «Tenez, Monsieur Mike, prenez ça, Monsieur Mike.» Du premier choix, toujours. C'est l'avantage quand on mesure un mètre quatre-vingt-dix et qu'on a la carrure de Rocky Balboa, ça appelle le respect, attention, la nature n'y est pas pour grand-chose, la taille, d'accord, mais pour le reste, j'en ai avalé des poids, des pompes par séries de soixante, des tractions, des marches forcées sous trente-huit degrés à l'ombre avec des rangers aux semelles décollées et quinze kilos de matériel collés aux omoplates – parce que c'est comme ça qu'on devient le patron, pas en épluchant les écrevisses.

Bien sûr, en huit mois j'avais perdu de mon allure. La binouze avait eu raison de mes abdominaux et ma colonne vertébrale commençait à me faire défaut. Mais quand le capitaine sombre parmi les naufragés, il n'en reste pas moins le capitaine. Et autour de moi, il y en avait des sinistrés, ça partait en quenouille de partout. Le Breton, par exemple, un gars qui était arrivé fringant après l'été, sa mère ne l'aurait pas reconnu à Noël. L'Artiste, qui dessinait à la craie sur le trottoir, une petite nature : fusillé en deux mois par une mauvaise grippe. Le Moko, un ancien de l'Algérie avec son loden vert râpé et sa casquette à carreaux, droit comme un i quand il a débarqué, les rouflaquettes taillées au poil près : au tapis après une muflée de trop, embarqué aux urgences, pas revu depuis. Je m'en tirais donc plutôt pas mal. Le plus dur, c'était d'éviter de penser. Parce que la gamberge, ça vous éparpille pire qu'une mine antichar. C'est pour ça que je parlais tout le temps. Aux passants, au farfadet, aux vigiles de la supérette, aux maraudeurs, aux habitants de l'immeuble. Ceux-là, ils m'aimaient pas beaucoup, ils se dépêchaient de rentrer et de refermer la porte pour m'oublier le plus vite possible, ils discutaient entre eux à voix basse sur un ton emprunté lorsqu'ils se croisaient dans le hall, « Alors, *il* est toujours là ? », « Quand même, on a beau être humain et vouloir tout comprendre, il y a les odeurs, les saletés, et puis l'alcool, il faut penser à nos enfants, quel exemple, et toutes ces bières, si seulement *il* ne buvait pas, ou si au moins *il* se taisait, mais non, il faut qu'*il* commente nos allées et venues ! On dirait qu'*il* ignore le principe de propriété privée ! Il y a des foyers pour ces gens-là enfin ! Ce porche est trop confortable, voilà le problème ! ».

Ils cherchaient des solutions pour m'évincer, prenaient des mesures accompagnés d'un architecte, traçaient des schémas à la craie sur le mur, secouaient la tête, marmonnaient – comme s'il était possible que je n'entende pas alors que j'avais le cul posé à moins d'un mètre –, combien ça allait coûter cette affaire, depuis quand faut-il payer pour être chez soi, c'est un comble !

Et puis il y en avait toujours un pour avertir : attention, travaux ou pas, si on se débarrasse de *celui-là*, *l'autre* pourrait revenir.

Alors ils abandonnaient aussitôt leurs plans pour un temps, parce qu'avec son regard de psychopathe et ses jambes tordues, le farfadet leur faisait bien plus peur que moi. Ils avaient raison. J'aurais dû être plus méfiant moi aussi, mesurer le danger. J'ai péché par abus de confiance en moi-même. Je savais bien qu'il était pas franc du collier, qui le serait dans son état ? Mais je croyais que les choses étaient fixées entre nous : j'étais le plus fort, je prenais la meilleure place, c'était de la pure logique, du bon sens, je voulais pas voir plus loin.

Seulement voilà, môssieur avait de gros besoins. Il ne se faisait pas à l'idée. Il était bouffé par la jalousie.

Est-ce que j'y étais pour quelque chose, si c'est à moi que les gens offraient un billet, apportaient un café ou déposaient le journal ? J'avais pourtant pris la peine de lui expliquer : c'est pas le confort des marches qui fait la rentabilité, c'est le bagout, la bonne mine, chiade un peu ta tenue au lieu de t'affaler comme une ruine, souris aux pékins, fais le show, gagne ta croûte, merde !

Mais l'avorton pourrissait d'amertume et moi, je n'ai rien vu venir.

Ce matin-là, il m'a apporté un pack de huit-six, une telle générosité ça ne pouvait que mettre la puce à l'oreille, mais comme un âne je l'ai pris sans penser à mal et même avec plaisir vu que le thermomètre avait plongé, qu'il fallait bien se réchauffer et que j'avais mal dormi : je m'étais fait sortir de ma cave en pleine nuit par un des copropriétaires venu relancer un disjoncteur défaillant. Qu'est-ce que ça pouvait lui foutre que je pionce là, dans ce trou à rats sans lumière, est-ce que je lui barbotais son pieu? C'était à côté de la chaudière, j'emmerdais personne, j'étais invisible, mais c'était encore trop, le type a menacé d'appeler les flics, résultat, j'ai marché deux heures pour tuer le temps dans ce froid de gueux, avec les crampes qui mordent, la gorge qui brûle, les tempes qui cognent, j'ai connu plus rude, bien sûr, mais quand on vit dans la rue on vieillit comme des chiens, huit mois valent bien cinq années, cinq ans de combat.

C'est là que j'ai commis une erreur. Je me suis confié au farfadet, je lui ai dit que j'étais lessivé, ramassé, il a pris un air compatissant, Mon pauvre Monsieur Mike, t'aurais bien besoin d'un remontant, c'est pas ton jour de chance, et moi, comme une bleusaille, j'ai pas envisagé une seconde qu'il pouvait la jouer stratégique.

Bref, la supérette n'avait pas encore ouvert que j'avais déjà rincé le pack. Ça tournait sec sous mon crâne, des escadrons kakis, des pales de Puma, la voix aiguë de Madame Mike, son sourire de pute légitime, ça valsait, la poussière de l'Afrique et le salon en peau de buffle de chez Tout-en-cuir, les genoux en vrac, le parfum de chèvrefeuille, les mains gelées.

La maraude est passée, ils se sont inquiétés, Ça ne va pas aujourd'hui Monsieur Mike? Un coup de mou, besoin d'aide ? Le farfadet a répondu à ma place, Mais non voyons, il pète la forme, il fait semblant, toujours sur le pont celui-là, vous savez bien, et moi je n'ai rien su ajouter, je me suis caché la tête dans les mains parce que l'humidité me grimpait dans les orbites à cause de ces foutues pensées, et ça, j'aurais préféré crever plutôt que de le montrer.

Il s'est passé un bout de temps, peut-être une demi-heure, j'avais le nez vissé au pavé, du coup je les ai pas vus venir, il a fallu que le farfadet se mette à brailler pour que je lève les yeux. Il s'était posté face à moi, les poings sur les hanches et le menton dressé, façon superhéros, C'est fini maintenant Mike, on veut plus de toi ici, dégage avant qu'on t'aide à le faire – derrière lui, trois loques invertébrées battaient le bitume en prenant l'air méchant.

J'ai soupiré, Laisse tomber morveux, c'est pas le jour alors fais-nous gagner du temps, tu vois pas que j'ai la casquette plombée ?

Mais il s'est approché, m'a chopé par la veste, Dégage, qu'il a insisté la bave aux lèvres, dégage, enfoiré, bouge, casse-toi, je veux plus voir ta sale gueule, putain !

Je me suis levé malgré la fatigue, la lassitude, l'usure, parce qu'il fallait bien réagir, il avait franchi les limites, il en allait de mon autorité dans le quartier, de mon avenir immédiat, je pouvais décemment pas laisser passer une rébellion pareille. Alors il a sauté vers l'arrière tandis qu'un des trois pieds nickelés sortait une barre de fer planquée sous son manteau. J'ai compris aussitôt que rien de tout ça n'était improvisé. J'ai tenté de rassembler mes forces, mais c'est allé trop vite, deux allers-retours, le métal hurlant, les os qui craquent, les coups de bottes dans l'estomac, le dos, la tête, les salopards frappaient tous en même temps en gueulant comme des hyènes – franchement, c'était ça le plus dur, les cris, les ultrasons, parce que la douleur, passé les dix premières minutes, on la sent plus du tout, mais ces cris aigus de bêtes enragées, ils étaient comme des voix de l'enfer.

La dernière chose que j'ai vue, avant que tout s'éteigne, c'est la grimace réjouie du farfadet. Pas une fois en huit mois je ne l'avais vu sourire, l'ordure.

Jusqu'à aujourd'hui.

MARIETTE

Je n'avais pas encore passé la porte lorsque la sonnerie a retenti, me vrillant le ventre. J'ai accéléré mécaniquement. Dans le hall, le principal Vinchon consultait le panneau d'affichage en plissant les yeux. Il s'est retourné en m'apercevant et a indiqué sa montre avec un claquement de langue, Allons, allons, madame Lambert, vos élèves vous attendent!

Ils m'attendaient, oui. Comme des fauves affamés et cruels. Des chasseurs en embuscade. Ils avaient décidé de m'abattre, ils allaient encore jouer avec moi un temps, puis, lorsqu'ils en auraient assez, ils me donneraient le coup de grâce. Évidemment, si je m'en ouvrais à qui que ce soit, on jugerait que j'étais folle, paranoïaque, excessive ou sûrement trop fragile. Le collège n'était pas étiqueté «établissement sensible». Une bonne partie des enfants étaient issus de la bourgeoisie locale, ce qui, paraît-il, garantissait *une certaine éducation*. En d'autres termes, ils n'allaient pas crever nos pneus, ni menacer de brûler nos maisons ou nous violer dans un train. Nous étions donc, selon la direction, des *privilégiés*.

La vérité, c'est que ceux-là étaient les plus retors. Ils faisaient leurs coups en douce. Dans notre petit monde ouaté du confort sans effort, le crime se commettait en silence. On ne sortait pas un couteau ni une batte de base-ball, on ne provoquait pas un combat singulier dans un tunnel obscur, on dégainait quelques billets, un accès à un lieu très privé, un stage dans l'entreprise familiale. On faisait pression. On ne tuait pas l'autre, on le poussait à se tuer, on gardait les mains propres.

Ils avaient décidé d'avoir ma peau. Ils avaient fait des paris, elle ne tiendra pas jusqu'à Pâques, deux contre un. Les sales bêtes. Les cafards. Je les haïssais. La nuit, je rêvais que le car qui les emmenait en sortie glissait sur une flaque d'huile : hop, plus personne. Chômage technique, Mariette !

Puis le réveil sonnait et l'angoisse du nouveau jour m'enveloppait de son voile étouffant.

Bien sûr ils ne se valaient pas tous, certains étaient pires que les autres. Il y avait les meneurs et les suiveurs. Les discrets, aussi. L'un d'eux avait un jour pris ma défense et s'était aussitôt trouvé mis à l'écart. Depuis, il était rentré dans le rang et baissait les yeux lorsque mon regard cherchait désespérément le sien.

Ils formaient désormais un groupe compact et uni dans l'agression, chacun entraînant l'autre. Ils étaient allés trop loin pour revenir en arrière : nous savions tous que cela finirait mal.

Le harcèlement avait commencé dès le début de l'année, après que j'eus collé un zéro amplement mérité au chef patenté de la bande, Lucas Zébranski – un grand blond à mèche volontaire dont l'ego surdimensionné avait noyé depuis longtemps une intelligence plutôt vive. J'ai su plus tard que ce fameux zéro lui avait valu d'être privé d'une sortie particulièrement importante à ses yeux, liée à une affaire de cœur. Il ne l'avait pas supporté. Voilà à quoi tient l'existence d'un professeur d'histoire-géo : une sortie manquée.

J'imagine que Zébranski a réfléchi longuement son plan – il était bien trop malin pour se mettre en danger. Il a trouvé l'idée parfaite pour une première salve d'attaques : les *questions*. À partir du mois d'octobre, à chaque cours, les élèves se sont mis à m'interroger sans relâche. Dix fois, quinze fois, le même genre de questions délibérément idiotes, bombardées et reformulées avec soin.

Le totalitarisme, madame, c'est lié à la guerre totale ? C'est quoi la différence entre totalitarisme et fascisme ? Est-ce que ça vient de totalisme et d'autoritarisme ?

Puis le cours suivant : Lénine était le fils de Staline ? Petit Père, c'est parce qu'il était complexé par sa taille ?

Avec ça, des sourires d'anges, des postures parfaites, têtes bien droites, stylos à la main, livres ouverts à la bonne page.

J'explosais : Vous le faites exprès ? Vous vous foutez de moi !

– Mais non, madame, on veut comprendre !

Et Lucas Zébranski :

– Au lieu de vous énerver sur vos élèves, vous devriez vous remettre en question. Vous n'avez jamais pensé que vos explications n'étaient pas assez claires ?

« Me remettre en question. » Il avait à peine quatorze ans, ce petit con, et il me donnait des leçons. Mon cœur s'emballait.

Ce petit jeu avait duré quelques semaines, puis ils avaient inventé de nouveaux pièges, instaurant une compétition acharnée dont j'étais la victime. Je passais maintenant plus de temps à anticiper les coups qu'à préparer mes cours, en vain le plus souvent : ils étaient bien plus créatifs que moi. Comme ce jour où j'avais loué un film sur la Seconde Guerre mondiale, espérant les intéresser. J'étais sortie faire des photocopies pendant la projection et, en revenant, j'avais trouvé la porte de la salle fermée à clé. Ils m'observaient à travers la vitre avec un air de défi tranquille, comme si tout cela était parfaitement normal. J'étais allée chercher un surveillant, mais, bien entendu, la porte était ouverte à notre retour, et la clé accrochée au mur.

Le surveillant avait levé les yeux au ciel et poussé un soupir navré : Madame Lambert, ça ne vous gêne pas de me faire perdre mon temps ?

Je m'étais plainte durant des mois auprès de ma hiérarchie. En vain. Zébranski et sa bande ne laissaient jamais la moindre preuve de leurs forfaits. Entre nous, c'était parole contre parole, or le bénéfice du doute leur était toujours accordé. Ni le principal, ni les adjoints d'éducation, ni mes autres collègues ne semblaient remarquer leur joie puérile lorsque je dérapais sur une de leurs peaux de banane. Je m'étais donc résolue à me taire. Je serrais les dents et gardais désormais pour moi le chewinggum collé dans mes cheveux, les retards organisés en roulement, le marqueur effaçable du tableau blanc remplacé subitement par un feutre indélébile, les injures gravées au compas sur mon bureau.

Comme disait Zébranski : tout ça, c'est de la malchance, du hasard ! Rien à voir avec la classe de 3ᵉ 2 !

Je tenais un certain temps, puis j'éclatais.

– Vingt-huit élèves qui laissent tomber leur stylo en même temps, c'est un hasard ? Vingt-huit élèves qui échangent leur place pendant que j'écris au tableau, c'est un *happening* artistique ? Je l'ai rêvé ? Je vous préviens Zébranski, à ce rythme, mes nerfs pourraient lâcher bientôt, attention aux dégâts !

— Vous me menacez ? Devant témoins ?

Je perdais pied au fil des jours. Ma propre psychiatre — je la consultais deux fois par semaine
depuis les fêtes — doutait de mes propos. Elle
inclinait la tête avec une légère moue : Tout de
même… À quatorze ans on a autre chose à faire
qu'ourdir des plans à longueur d'année pour se
venger d'un zéro au premier trimestre… Admettez
que tout cela pourrait effectivement s'apparenter à
des coïncidences ?

Elle évoquait le stress, le *burn-out*. Les interpréta-
tions, les erreurs d'appréciation.

— C'est la crise de la quarantaine, un épuisement
classique, décadrez madame Lambert, décadrez !
Prenez tout cela comme un signal d'alarme, vous
avez le nez dans le guidon ! Et chez vous, ça va bien ?

Mes mains tremblaient, mes dents claquaient en
l'écoutant, est-ce qu'elle ne voyait pas que j'avais
peur ? D'eux ? De moi-même ? Du bruit d'une craie
sur le tableau ? Du tic-tac de l'horloge fixée au mur
de la classe ?

— Vous devriez essayer la relaxation ou le yoga,
vous aimez le yoga ? C'est excellent, il faut retrouver
de la sérénité, réinvestir votre costume de professeur.

Mon costume de professeur : parlons-en. C'était
pourtant le seul que j'aie jamais choisi. Mes
parents s'intéressaient à mon allure, ma coiffure,

mes fréquentations, mais se moquaient de savoir quel métier je pourrais bien exercer. Ce qui leur importait, c'était de savoir qui j'épouserais. Et à bien réfléchir, professeur d'histoire-géographie était une profession très convenable, susceptible de rassurer les meilleurs partis : placé idéalement sur l'échelle sociale, ni trop haut (pour ne pas faire d'ombre), ni trop bas (pour ne pas faire honte).

Ils avaient donc payé mes études rubis sur l'ongle, avec le sentiment du devoir accompli.

Pendant presque vingt ans, j'avais exercé ce métier avec passion. Maintenant, je le sais : j'étais bien plus heureuse avec mes élèves durant toutes ces années que chez moi, face à mon mari, et même plus tard, aussi étonnant que cela puisse paraître, face à mes propres enfants. Chaque matin je m'empressais de quitter l'appartement, toute au plaisir de retrouver mes quatre murs couverts d'immenses photos et de cartes géographiques aux couleurs délavées. Les vacances scolaires me paraissaient interminables, surtout l'été qui me laissait à bout de souffle et d'ennui.

Mais, peu à peu, les choses avaient changé. J'avais senti l'écoute se tarir, l'estime diminuer, les critiques s'accumuler. Ce n'était pas contre moi, bien sûr, c'était toute la corporation qui était visée. Les journaux nous traitaient de fainéants, de perpétuels mécontents, de sangsues de la société. On nous accusait de creuser la dette de l'État, de produire des générations incultes. Les élèves, baignés dans ce climat toxique, réfutaient le moindre signe d'autorité. Des banlieues filtraient des histoires d'intimidation et d'agressions plus terrifiantes les unes que les autres. Et lorsque je m'en plaignais, une fois rentrée chez moi, mon propre mari, loin de me soutenir, me renvoyait à la figure mon manque d'ambition :

— Tu n'avais qu'à passer l'agrégation, aujourd'hui tu enseignerais à l'université plutôt que de faire la leçon à une bande de petits morveux ! Mais voilà, madame a choisi la facilité, eh bien maintenant il faut assumer !

Alors oui, j'avais fini par me résigner. En cela, il fallait être honnête, Zébranski et ses acolytes n'étaient pas seuls responsables de mon désespoir, ni de ma solitude. Ils n'étaient que de mauvaises herbes poussant avec vigueur sur un tas de fumier à l'abandon.

— Madame Lambert, a ajouté le principal tandis que j'ouvrais la porte vitrée qui donnait sur les escaliers, vous passerez me voir deux minutes après le cours.

Je me suis retournée, mais il a fait un signe, Filez, voyons, ne vous mettez pas en retard !

En haut des marches, Zébranski m'attendait, les bras croisés et le menton dominateur. Je ne sais pas ce qui m'a pris, une poussée de rage sourde, une folie, une pulsion incontrôlable, c'était lui, bien sûr, *encore lui*, ce sale gosse, il avait dû se plaindre à ses parents, rapporter que nous en étions seulement au tiers du programme, prétendre qu'à ce rythme-là personne n'aurait son brevet, si ça se trouve il avait même demandé à changer de professeur au nom de ses camarades, il m'avait souvent menacée de le faire, c'est ça, hein, Zébranski, tu veux me faire virer, tu veux me renvoyer chez les sixièmes ?

Ma main est partie toute seule à l'instant même où mon talon se posait sur le palier, une gifle puissante, *la gifle*, celle qui contenait les centaines d'autres retenues depuis trop longtemps, et je l'ai vu basculer, jambes maigres passant par-dessus tête, corps caoutchouteux, mèche flottante, dans un cri il a rebondi d'une marche à l'autre pour s'arrêter aux pieds du principal.

Une foule d'élèves s'est ruée vers lui en hurlant, Lucas, Lucas ! Tandis que Vinchon, agenouillé à ses côtés, lui parlait en lui caressant le front.

Autour de moi tout est devenu ouateux, le monde ralentissait, j'ai aperçu le conseiller pédagogique pousser la porte et se précipiter à son tour, Enfin, Mariette, mais qu'est-ce que tu as fait, qu'est-ce qui t'a pris, viens avec moi, on va dans mon bureau, ne reste pas là, vite !

Il m'a entraînée, je me laissais guider, je ne pensais plus qu'à une chose, mes enfants, mon mari, qu'allais-je pouvoir leur dire, que se passerait-il si

L'atelier des miracles

Zébranski était gravement blessé, il fallait que tout le monde le sache, je n'avais rien calculé, rien prévu, je ne voulais pas lui faire de mal, ce n'était qu'une question de coupe pleine!

Je voulais seulement que tout cela s'arrête.

J'étais un être humain, tout de même.

MILLIE

Tout est allé si vite. Comme on éteint la lumière
en quittant une pièce, j'ai fondu dans le noir. Des
voix lointaines, déformées, des sons, quelques sensations de roulement, de ballottement, de cahots.
La chaleur sur le visage. Je me laissais porter, ma
pensée fragmentée me parlait de dormir, poursuivre la nuit, s'enfouir, s'enrouler dans le temps,
flotter. Mes repères se sont évanouis, durée, espace,
matière. Éclats de blanc zébrant le noir. Tonalités de
gris, timbres graves. Plus envie de bouger, chercher,
sentir, entendre, essayer, comprendre, vouloir.
Engourdissement.
 Cela a duré longtemps, ou pas. Le voile s'est
éclairé, lentement, comme une aube qui naît. Les
bruits se sont faits persistants, lancinants. Une main
a pris mon poignet, l'a relâché. Les balbutiements se
sont clarifiés. Je n'avais pas la force d'ouvrir les yeux.

Une femme m'a parlé : Mademoiselle, vous m'entendez ? Ça va aller, tout va très bien se passer. Vous m'entendez ? Répondez !

Elle me tapotait la joue, insistait, Allons, revenez, faites un effort, voilà, voilà, nous y sommes, c'est bien !

L'air dans le visage, la percussion, le métal.

Enfin, je la voyais. Elle portait une blouse bleue, elle était jeune, brune, elle souriait.

– Ah mais, tout de même. Ça fait un moment qu'on vous attend !

Un médecin est apparu dans son dos.

– Alors, ça y est ? On va enfin pouvoir l'appeler par son prénom, notre miraculée !

Il s'est penché sur moi. Il semblait bienveillant, mais pressé.

– Savez-vous que vous êtes notre grand mystère, mademoiselle. Personne n'a su dire votre nom. Pas un voisin, c'est fort tout de même ! Vous allez devoir nous aider.

Je voulais lui répondre, être polie, j'ai essayé, j'ai fait l'effort, j'ai bougé mes lèvres, mais j'étais si fatiguée. Je n'ai pas réussi.

Il a soupiré : Ça ne fait rien, on verra ça plus tard.

L'infirmière lui a tendu une feuille de papier couverte de chiffres qu'il a lue avec attention, hochant la tête. Ils sont sortis quelques instants dans le couloir.

– Il n'y a toujours aucune visite, a glissé l'infirmière. Rien, aucun appel de proche… Si elle ne parle pas…

— Elle parlera. Laissons-la revenir tranquillement. C'est une banale aphasie, rien de définitif. Du moment qu'on évite l'amnésie...

La jeune femme est revenue dans la chambre, s'est approchée du lit, a pris ma main dans les siennes.

— Il faut parler, mademoiselle. Il y a sûrement quelqu'un à prévenir, vos parents par exemple.

Mes parents ? Notre dernière conversation remontait à l'été dernier. Ils changeaient de régime matrimonial et la loi leur imposait de m'en informer, la conversation n'avait pas duré plus de cinq minutes. Ma mère m'avait expliqué qu'ils tenaient à se léguer mutuellement l'ensemble de leurs biens : communauté universelle.

— Tu n'y vois pas d'inconvénient, je suppose ?

— Non, maman, aucun.

— Parfait. Et à part ça, ça va ?

— Très bien.

— Tant mieux. Alors à une prochaine fois ?

— Certainement.

Longtemps, lorsque j'étais encore une enfant, puis une toute jeune fille, ils avaient pris soin de masquer leur ressentiment. Ma mère continuait à brosser mes cheveux chaque matin, mon père à réparer mon vélo ou corriger mes exercices de maths. Le soir, nous avalions notre dîner à la va-vite, les yeux rivés à nos assiettes. Un fleuve glacé et muet coulait entre nous, charriant les reproches et les accusations imprononçables. Et puis quoi :

tout avait été dit autrefois, au temps de la tragédie. Ce temps du deuil impossible, cette parenthèse où chacun s'emploie en vain à réaliser que *c'est bien arrivé,* qu'il va falloir *vivre avec,* et se heurte à l'inimaginable. Les phrases avaient alors fusé malgré eux, ils savaient qu'ils s'adressaient à un enfant, leur enfant, ils savaient qu'ils me condamnaient en s'exprimant, ils savaient qu'il fallait absolument se taire, prendre sur soi, ne pas céder aux pulsions de haine, ce n'était pas dans l'ordre des choses de haïr la chair de sa chair, il fallait tenir bon, mais la douleur avait été plus forte, elle avait tout balayé sur leur passage, la tendresse qu'ils avaient pu ressentir pour moi, les caresses du passé, leur résolution d'être toujours de *bons parents*, tout cela n'était plus qu'un champ de ruines.

Nous donnions le change, tous les trois. Ils m'envoyaient un baiser du bout des doigts à l'heure du coucher, je faisais semblant de croire qu'il s'agissait d'amour. Se mentir, pour survivre.

– Millie, attends, ne raccroche pas.

– Oui ?

– …

– Maman ?

– Non, rien.

– Alors au revoir.

Mes dix-huit ans avaient sonné comme une libération pour nous tous. Leur fille était devenue une adulte, ce qui signifiait qu'ils n'étaient plus tenus de me protéger. J'étais majeure, ce qui me dispensait de rendre des comptes à qui que ce soit. Les choses avaient été vite réglées : j'avais annoncé mon intention de m'installer ailleurs, très loin, dans la capitale, ce qu'ils avaient accepté avec soulagement.

L'infirmière redressait mon oreiller.
— Des amis ? Quelqu'un doit bien s'inquiéter pour vous, quelque part ?
Je ne voyais pas, non. À part le vieux Kanarek, peut-être. Je savais qu'il m'aimait bien, même si nous n'avions jamais échangé plus de deux phrases d'affilée. Il avait surpris mon regard agacé lorsque les copropriétaires le houspillaient, Fermez-la Kanarek, on va finir par appeler la police, fauteur de trouble, mauvais coucheur, saltimbanque !
Il me faisait parfois un clin d'œil lorsque je passais devant lui. M'offrait des gâteaux aux ingrédients indéterminables, «Tiens, fillette, goûte un peu ça», tandis qu'il prenait son petit déjeuner sur le trottoir, chaussé d'immenses bottes de cuir, une théière en argent noirci posée sur une table pliante en Formica rouge.
Mais Kanarek était-il un ami pour autant ? D'ailleurs, était-il seulement en vie ?

Je n'avais eu aucune difficulté à m'installer à Paris. Mon premier logement m'avait été fourni par mon employeur, un boulanger qui m'avait échangé l'usage d'un minuscule studio contre des horaires étendus. Je tenais la caisse dès six heures du matin et la fermais à vingt heures. Je m'occupais des factures, des bons de commande, des livraisons. Je briquais les fourneaux, les sols, les présentoirs vitrés. Parfois, un habitué s'apitoyait en prenant sa baguette, Ce n'est pas une vie, Millie !

Je le détrompais : c'était ma vie, celle que j'avais choisie, et je ne m'en plaignais pas. J'aurais pu travailler dans cette boulangerie jusqu'à la retraite si le boulanger, un homme d'une cinquantaine d'années plusieurs fois divorcé, n'avait soudain décidé d'élargir mes attributions. Il avait débarqué dans ma chambre un matin, les mains encore couvertes de farine, et m'avait plaquée sur le lit. Lorsqu'il s'était relevé, quelques instants plus tard, le sang rouge mêlé à la poussière blanche maculait les draps. Il s'était excusé, sanglotant, répétant qu'il *ne savait pas*, qu'il *croyait que*, qu'il n'était pas *un mauvais homme*, me suppliant de ne pas le dénoncer. Puis il avait quitté la pièce un instant pour revenir avec une liasse de billets et un croissant tout juste sorti du four.

J'avais laissé le croissant et rangé soigneusement les billets dans mon sac – il fallait bien tenir, le temps de trouver un autre travail et un autre logement. Le boulanger m'avait accompagnée jusqu'à la pharmacie la plus proche pour acheter une pilule du lendemain, que j'avais avalée aussitôt. Nous nous étions séparés sur le seuil pour ne plus jamais nous revoir.

Mon expérience malheureuse m'avait enseigné qu'il valait mieux éviter de dépendre d'une seule personne. En sortant de la pharmacie, je m'étais immédiatement rendue dans une agence d'intérim. Après tout, aussi mineur soit-il, je possédais un diplôme de secrétariat. Mais surtout, je présentais un profil rare. Je me moquais de savoir combien de temps dureraient les missions, à quel taux seraient payées les heures supplémentaires ou si j'aurais droit à des tickets restaurant. Les horaires décalés ne me rebutaient pas, pas plus que le type d'entreprise qui me recruterait. Je pouvais travailler indifféremment à Rungis à cinq heures du matin ou dans un cabinet d'avocat à dix heures du soir. Tout ce que je désirais, c'était gagner assez d'argent pour régler un loyer et acheter de quoi me nourrir.

J'ai signé le jour même mon premier contrat : c'était il y a presque cinq ans.

— Les résultats de vos examens sont encourageants, mademoiselle. Il y a un petit traumatisme crânien, mais rien ne semble vraiment endommagé, les lésions sont moins importantes qu'on le craignait.

Par-dessus le drap, avec douceur, elle parcourait mon corps du doigt.

— Pour la fracture du tibia, c'est une affaire de quincaillerie, trois vis, pas de quoi s'affoler. Sur le dos et l'épaule, quelques hématomes, rien de plus. Ma parole, vous êtes en caoutchouc !

Elle a baissé la voix comme si elle confiait un secret, en caressant mon front.

– Vous avez rebondi sur une voiture garée sur le bateau, juste en bas de votre immeuble. Vous avez une bonne étoile, croyez-moi… Allons, essayez encore, parlez, je vous en prie! C'est le choc, n'est-ce pas? Vous avez eu peur, c'est normal, qui ne serait pas terrifié par un incendie? Mais il faut vous détendre, vous êtes en sécurité maintenant, vous n'avez plus rien à craindre.

Je n'avais pas peur : j'étais confuse. Les pensées se chevauchaient sans répit, me harcelaient, m'étouffaient. Pourquoi parler? Pour dire que je m'appelais Millie Becker, que j'étais une criminelle sans avenir, une âme errante? Ou bien encore une petite secrétaire sans charme, sans argent, sans mari, sans ami, sans famille? Il faudrait répondre aux questions, se justifier, donner des noms, des adresses. Pourquoi ouvrirais-je une porte impossible à refermer?

Il faudrait tout reprendre à zéro, puisque le peu que je possédais avait disparu en fumée. Il faudrait reconstruire la vie sans vie, reconquérir la routine, redessiner le creux. Je me sentais si fatiguée.

«Une bonne étoile», avait soufflé l'infirmière. Personne ne se garait jamais devant ce porche orné par un propriétaire irascible d'un monumental panneau d'interdiction de stationnement.

«Du moment qu'on évite l'amnésie», avait lâché le médecin-chef.

Que deviennent les êtres égarés que leur famille renonce à aimer? De quel côté se situe l'oubli?

— Regardez-moi ce cœur qui bat, cet œil brillant. Vous verrez, cet accident finira par vous rendre plus forte : c'est à cela que servent les épreuves. Alors pas question de vous laisser aller, hein, on se redresse, on s'éclaircit la voix, on parle, c'est d'accord mademoiselle?

— D'accord.

— Quoi!? Vous avez parlé?

— Oui.

— Mais c'est merveilleux! On y est, vous êtes tirée d'affaire! Ne bougez pas, hein? Je vais prévenir l'interne. Ah non, d'abord, votre prénom. Juste votre prénom, ça fait trop longtemps que j'attends.

— Je ne sais pas.

Elle a lâché ma main et s'est écartée d'un pas, soudain suspicieuse.

— Comment ça, vous ne savez pas?

— Je ne sais pas comment je m'appelle. Je ne sais pas qui je suis. Je ne me souviens de rien. J'ai peur.

Son regard s'était assombri. Elle plissait le front, la bouche ouverte, secouait la tête, c'est elle, cette fois, qui ne savait plus parler.

— Ça va aller, ça va aller, si, si, ça ira, a-t-elle finalement murmuré d'un ton qui soutenait l'inverse.

Elle a reculé vers le couloir, lentement, sans me

45

quitter des yeux. Je ne dis pas que c'était facile de lui mentir, elle s'était montrée douce, gentille, enthousiaste, déterminée à m'aider, d'ailleurs elle m'avait aidée, ô combien, mais voilà, c'était fait, je ne pouvais plus revenir en arrière, je ne l'avais pas prémédité, je ne l'avais pas réfléchi, ça non – si j'avais réfléchi, envisagé, pesé l'idée, il y a tout à parier que j'aurais abandonné –, je m'étais contentée de suivre mon instinct. Le coup était parti.

Monsieur Mike

S'il avait voulu sérieusement se débarrasser de moi, le farfadet aurait dû s'y prendre autrement. Quelle idée d'aller cogner un gars en plein jour, à côté d'une supérette – sans parler du commissariat à cent mètres. Les flics sont arrivés en trombe, prévenus par une caissière. Ils ont appelé le Samu et embarqué les quatre mousquetaires, c'est le problème avec la chnouf, ça vous colle un ralenti de série, résultat ils s'étaient fait cueillir comme des pâquerettes, comparution immédiate, menottes, prison.

Tous ces détails, je les ai appris dans ma chambre d'hôpital par l'assistante sociale, après l'opération : la barre de fer m'avait éclaté la rate. À peine sorti du camion, on m'a collé sur le billard et vas-y que je te découpe. En soi, c'était loin de m'affoler, deux cents grammes de bidoche en moins, mais le grand sorcier m'a expliqué qu'il faudrait becqueter des antibiotiques tous les jours, me faire vacciner tous les cinq ans et me surveiller comme le lait sur le feu : à la moindre petite fièvre, ce serait retour direct aux urgences.

Là-dessus il m'a envoyé illico l'assistante sociale, une gamine à peine sortie de l'école qui regardait ses pieds en me parlant et se rongeait les ongles.

– Donc, monsieur Jean-Pierre…

– Monsieur Mike.

– J'ai noté Michel Jean-Pierre sur ma fiche. Au fait, votre prénom c'est Michel ou Jean-Pierre ?

– T'es ramollie du pavillon ma belle ! Je t'ai demandé de m'appeler Monsieur Mike.

– Comme vous voudrez, mais je vous préviens, je ne peux pas changer ma fiche. Donc, Monsieur Mike, il va falloir trouver une solution, vous ne pouvez pas rester dans la rue, votre santé vous rend trop fragile.

– Parfait, tu me proposes quoi ?

– Pour être franche, on n'a encore rien de très concret. Je peux vous mettre en liste d'attente pour un appartement thérapeutique, mais il y a déjà beaucoup de monde, et on prend en priorité les schizophrénies, les cancers, les scléroses, enfin, les cas les plus graves voyez-vous… Vraiment, je suis désolée.

– Te tracasse pas, ma belle. Ça fait longtemps que je crois plus au vieux barbu en manteau rouge.

Elle était tellement mal à l'aise que j'en avais pitié.

— Sinon, il y a une association qui vient en aide aux personnes vulnérables et qui travaille beaucoup avec l'hôpital. Je leur transmettrai le dossier, on ne sait jamais, en même temps je préfère vous prévenir, ils sont débordés. Monsieur Mike ? Vous m'écoutez ? Vous souriez ? Ça vous fait rire !

— Allez, pas la peine de me la raconter gamine. Range ton cartable et va chanter dans un karaoké avec tes amis assistants, la conversation est terminée. Rompez !

— Si vous croyez que c'est facile…

— Détends-toi, je ne comptais pas sur toi pour me sauver la vie.

Ni sur toi, ni sur personne. Dis-toi bien ma jolie que j'ai peut-être une cicatrice toute fraîche en travers du bide et une ordonnance longue comme un jour à l'eau minérale, mais ça ne fait pas de moi une *personne vulnérable*. Je vais retrouver mon porche, mes marches, l'hiver sera bientôt fini et ce sera reparti pour un tour. Tu sais quoi ? J'ai même pas touché mes quarante balais. Avec une espérance de vie moyenne de quarante-huit ans dans la rue, j'ai encore de la marge.

Elle a rassemblé ses papiers nerveusement, s'est levée.

— Bon alors, au revoir monsieur, bonne continuation.

— Mais oui, tu penses.

Le sorcier m'avait prescrit sept jours de convalescence. Ça me convenait. Un vrai lit, des draps propres tous les matins, j'allais pas cracher dessus! Les infirmières étaient aux petits soins, ça leur plaisait de cajoler un gars dans mon genre. Elles m'apportaient le journal, chuchotaient quand elles me croyaient endormi, comptaient mes tatouages. Elles me faisaient leur numéro de filles comme si je pouvais être dupe, les connasses. Comme si je connaissais pas l'histoire, comme si on me l'avait jamais faite.

Je profitais des avantages.

– Allez, le corps de ballet, qui va me chercher une petite mousse?

– Monsieur Mike, on vous a déjà dit qu'on ne peut pas… Voyons… Bon, une seule alors, mais vous ne direz rien, c'est promis? Juré? C'est bien parce que vous sortez demain…

Demain, déjà? En quelques jours, le froid s'était intensifié. Par la fenêtre de ma chambre, je voyais le ciel s'éclaircir et le bitume se couvrir par endroits d'une pellicule brillante de verglas. Il faudrait vite trouver un autre endroit pour dormir, une autre chaudière de préférence.

Éternels recommencements, plaies cachées. Avancer sans connaître l'objectif. Combattre l'ennemi invisible.

J'ai siroté la sainte canette en prenant mon temps, puis j'ai attendu que la nuit tombe, que les bruits s'éteignent dans le couloir, que passe le dernier chariot des médicaments. J'ai fermé les yeux et avalé le somnifère laissé sur ma table de chevet par l'infirmière de garde, débarrassé enfin de ce rôle qu'il fallait tenir pour ne pas tomber. Et je me suis endormi comme le gosse que je n'ai jamais été.

MARIETTE

Charles est arrivé fulminant, mâchoire et poings serrés. Le conseiller pédagogique l'avait prévenu à son bureau.

Je me suis jetée dans ses bras, j'étais tellement désorientée, bouleversée, Charles était mon mari, n'avait-il pas juré autrefois de me protéger envers et contre tout ? Peu importait la lente décomposition de notre couple, peu importait son égoisme, il allait tout déballer, à Vinchon, au conseiller pédagogique, aux élèves, aux collègues, il leur raconterait ma détresse, les attaques de panique, la perte d'appétit, les piles de copies sous l'oreiller, les nuits d'insomnie, le silence entre nous. Il les menacerait de poursuites judiciaires, évoquerait le harcèlement moral, les mettrait face à leurs responsabilités, rétablirait la vérité : c'était moi la victime, la laissée-pour-compte, celle qu'on piétinait depuis trop longtemps, et voilà où nous en étions par leur faute.

Charles était fort, Charles était solide, puissant, il avait la Légion d'honneur et toutes sortes d'autres décorations, il en imposait, il serait non seulement entendu mais écouté, il était le patron dans tous les sens du terme, pas seulement celui qui possède mais celui qui décide, et même si nous n'étions plus d'accord sur grand-chose (l'avions-nous été un jour?), même si nous n'avions plus ni étreintes ni dialogue, je demeurais sa femme, la mère de ses enfants et, à ce titre, il se devait de me défendre.

Au contraire, il m'a repoussée sèchement.

– Ma pauvre, cette fois tu es vraiment devenue folle, a-t-il lâché avec mépris.

Ma respiration s'est bloquée, mon ventre s'est crispé. Il avait dit *folle*!

Il s'est tourné vers le conseiller, Je regrette profondément, a-t-il assuré, vous et moi sommes en plein cauchemar, restons en contact pour les suites administratives, je suppose qu'une plainte sera déposée, n'ayez crainte je préviens mes avocats, ils géreront tout cela au mieux dans l'intérêt du collège, je compte sur vous pour le faire savoir au principal, mais surtout, surtout je vous demande la plus grande discrétion.

Il m'a attrapée par le bras. Viens par ici, dépêche-toi enfin, crois-tu que je n'avais que ça à faire, quitter une réunion importante pour venir chercher ma cintrée de femme, non, je n'y crois pas, comment as-tu pu m'infliger ça, comment as-tu pu m'humilier de la sorte, à quoi as-tu pensé, malheureuse, c'est ma carrière que tu veux dynamiter?

Je le regardais tétanisée, *m'infliger ça, m'humilier, ma carrière.* Alors même que ma vie allait peut-être basculer, c'était de lui qu'il se préoccupait, de son image, de sa réputation, des avantages que ses ennemis pourraient en tirer. Il se moquait bien des motifs, des explications qui m'avaient poussée à la gifle, de mon évident désespoir, il ne cherchait aucune circonstance atténuante, j'étais condamnée d'office!

Il m'a déposée devant l'entrée de l'immeuble comme il l'aurait fait d'un bagage encombrant.

— J'ai appelé un médecin. Il viendra avant l'heure du déjeuner.

— Tu ne restes pas? Où vas-tu?

— D'après toi? Il faut que je trouve comment arrêter l'incendie que tu as déclenché. Tu penses que j'ai envie de voir mon nom traîné dans la boue à trois mois des élections? *La femme de Lambert a perdu les pédales, elle est en dépression, elle a giflé un môme,* l'opposition va se régaler, mais c'est secondaire, je suppose? Sans compter le temps que je vais y passer! D'après toi, qui va négocier avec le directeur et les parents du gamin? Si toutefois ils acceptent de discuter, attends de voir la gravité des blessures ! Tout cela va avoir un coût, en réputation, en argent, en disponibilité, alors tu me permettras de te laisser entre les mains d'un professionnel de la santé pendant que je nettoie tes conneries.

Mon nom traîné dans la boue. Lorsque nous nous étions mariés, il avait insisté pour que j'abandonne mon nom de jeune fille. Il se disait fou de moi, c'est étrange d'employer de tels mots aujourd'hui tant cela semble impossible, et pourtant c'est ce qu'il clamait à tous ceux qui pouvaient l'entendre, Je suis fou d'elle, Mariette, mon petit trésor, mon diamant, mon bijou.

On ne prête jamais assez d'attention aux termes amoureux. Il me considérait déjà comme un élément de son patrimoine, une propriété dont il pourrait redessiner les contours à l'envi. Il était encore jeune assistant parlementaire, sorti d'une école réputée pour produire l'élite du pays, mais il calculait déjà le moyen d'occuper le siège du patron.

Il avait réussi. D'ailleurs, il réussissait tout ce qu'il entreprenait. Il noircissait des dizaines de cahiers de diverses stratégies, de plans, de tableaux compliqués. Pour acheter un appartement, une maison de campagne, une voiture, pour organiser les vacances ou une réunion de famille et, bien entendu, pour obtenir une investiture ou l'appui de ses pairs sur un amendement. Il prévoyait, analysait, chiffrait, obtenait. Même la naissance de nos fils avait été programmée : c'était lui qui avait pris rendez-vous avec le spécialiste, exposé notre cas, son agenda, et fixé la date de l'accouchement.

Les premières années, il m'était arrivé de contester ses décisions, d'émettre un avis prudent.

— Tu ne crois pas qu'une maison en banlieue avec un jardin, plutôt qu'un appartement?

— Mais ma pauvre, tu as déjà observé les courbes de l'immobilier? Estimé la rentabilité à moyen terme en cas de revente? Suis-je bête, tu es prof d'histoire-géo, pas de maths…

Les premières années, je n'avais pas voulu voir la cruauté et l'ironie, le plaisir d'humilier, c'était du domaine de l'impensable.

Charles avait choisi d'investir dans un quartier d'affaires excentré. Notre immeuble, essentiellement occupé par des entreprises, plongeait le soir dans un silence de plomb. Nous étions loin des rues commerçantes, et encore plus du collège. Le matin, je me levais à six heures et demie afin de préparer son petit déjeuner et celui des garçons, puis je partais sans même les croiser.

Un soir, alors que nous dînions avec des amis de Charles, une femme s'en était étonnée.

— Comment peux-tu supporter de perdre autant de temps dans les transports?

Charles l'avait coupée, tout sourire.

— Tu oublies que Mariette est fonctionnaire de l'Éducation nationale. Dix-huit heures de cours par semaine, seize semaines de congés payés, du temps, elle en a tellement qu'elle ne sait plus comment l'occuper!

C'était une pure provocation – il était bien placé pour savoir combien je m'investissais dans mon métier. Mais il espérait que je réplique, car il était un orateur brillant, expert en bons mots, et rien ne lui plaisait plus que de me tailler en pièces sous couvert d'humour. Il évaluait alors la réaction de l'auditoire, et si d'aventure il sentait une gêne trop importante, si par extraordinaire un convive se manifestait en ma faveur («tu y vas un peu fort, Charles»), il rectifiait aussitôt le tir, Elle sait bien que je la taquine ma petite Mariette, je l'adore!

Avais-je aimé cet homme? Était-il si différent à l'époque de notre rencontre, ou bien avais-je été aveuglée par mon empressement à fuir mes parents?

Il s'était montré adorable, énergique, me couvrant d'attentions, fleurs, cadeaux, mots tendres laissés dans mon sac que je découvrais après un rendez-vous. Il était grand, beau, déjà promis au succès, pressé de l'atteindre. Je ne croyais plus en l'amour, mais j'avais hâte de m'émanciper tout en étant incapable, malgré mes vingt ans, de tenir tête seule à mon père et de quitter la maison. Et puis j'étais flattée. Il m'encensait, me complimentait sans relâche. Judith, ma meilleure amie, cachait à peine sa jalousie : Tu as tiré le gros lot, Mariette!

J'étais loin d'imaginer que Charles m'avait choisie sur des critères méticuleusement inscrits dans l'un de ses cahiers. Je faisais partie du plan. Mon physique, la blondeur, les yeux clairs, mon tempérament, discipliné et malléable, mon incapacité à me rebeller : j'étais précisément celle qu'il cherchait, la mère de famille lisse et sans surprise, ornant à la perfection un tableau familial qui ferait rêver ses électeurs – il me l'a lui-même jeté à la figure, quelques années plus tard.

Aujourd'hui encore, j'ignorais quel type de sentiments il éprouvait réellement à mon égard, et même s'il avait été ou était réellement capable de sentiments. Je crois que le simple fait d'avoir atteint son objectif – en l'occurrence, me posséder, ou plutôt me détenir – lui procurait une immense satisfaction, une jouissance même, qu'il renouvelait par jeu à intervalles réguliers, me blessant, m'amenant jusqu'au point de rupture, puis me rattrapant et s'excusant, déployant déclarations enflammées et engagements rarement tenus.

L'amoureux s'était progressivement transformé en dictateur, mais qui pouvait s'en douter ? Il était si bon comédien.

Mes parents l'adoraient. Il faisait parfaitement illusion en gendre idéal, dévoué, exemplaire, offrant généreusement voyages et cadeaux luxueux, travaillant sans compter tout en protégeant son clan. Nos fils l'admiraient tout autant. Lorsqu'ils se plaignaient de ne pas le voir suffisamment, il rétorquait :

C'est pour vous que je fais tout ça, croyez-moi, je préférerais être rentré comme votre mère à dix-neuf heures, m'asseoir dans le canapé et refaire le monde avec vous !

Max et Thomas ne refaisaient pas le monde avec moi. Ils me disaient à peine bonjour lorsque je revenais éreintée du collège, demeuraient des heures durant le nez collé sur leur ordinateur, leur portable, leur console, levaient rarement un doigt pour m'aider – mais j'avais fini par trouver ça normal, après tout, à côté de Zébranski, ils restaient des modèles de gentillesse et d'éducation. Je me consolais en songeant qu'ils n'étaient que des adolescents, qu'un jour ou l'autre ils grandiraient, qu'ils se souviendraient des câlins, du temps passé peau contre peau, des mots doux, des découvertes, de nos émerveillements mutuels. Je voulais croire qu'ils verraient bientôt le monde sous un autre jour.

Le médecin envoyé par Charles était un psychiatre. Il prétendait vouloir m'écouter, mais c'est surtout lui qui parlait. Cela m'était égal, après tout comment aurais-je pu résumer vingt ans de pressions, de frustrations, de déceptions en moins d'une heure. Tandis qu'il alignait ses analyses, j'entendais le bruit du corps de Zébranski dévalant l'escalier, *bam, bam, bam*, le claquement de langue de Vinchon, Allons, madame Lambert, on se dépêche, je voyais le visage crispé de Charles, les vingt-huit élèves le stylo à la bouche, la clinique de mes dix-sept ans,

Judith, *Tu as tiré le gros lot Mariette!* Mon souffle court, ma peur panique, méchant manège.

Il avait déjà son idée sur mon cas, sans doute briefé par Charles, et m'a prescrit deux semaines d'arrêt en maison de repos, assorties d'un traitement antidépresseur que je comptais bien enfouir au fond d'un tiroir.

— C'est une institution réputée, il y a un grand parc, de jolis bâtiments. Vous serez bien. Ou disons, mieux. Il n'y a qu'une chose à faire dans votre situation : couper.

Couper? Comme un mot si tranchant peut sembler confortable.

Quelques minutes ont suffi à arranger mon arrivée par téléphone. Charles n'étant pas joignable, le médecin s'est contenté de laisser un message à sa secrétaire.

Puis, avant de partir, il a posé sa main sur mon épaule et l'a tapotée dans un geste paternel.

— Voilà, tout ça c'est fini madame Lambert. C'est fini. Tout ira bien, maintenant.

MILLIE

Il y eut encore des examens, plusieurs, beaucoup, je ne les ai pas comptés. On m'a posé des dizaines de questions, on m'a montré des dessins, des photos. Je répondais toujours non, non, non.

J'attendais qu'ils m'indiquent la sortie. J'étais confiante : on allait m'aider, on ne me lâcherait pas seule dans la nature, j'étais l'événement, le cas particulier, l'énigme. Ils se sentaient investis d'une mission, il fallait combler les blancs, les trous, ils en parlaient entre eux, je les entendais, *le problème c'est qu'il n'y a pas de famille, le problème c'est qu'elle est toute seule, on ne peut pas la laisser livrée à elle-même.*

Pour commencer il fallait décider d'un prénom. J'ai choisi Zelda. Ils se sont agités : Savez-vous qui est Zelda, mademoiselle ?

– Non.

– Une héroïne de jeu vidéo ou bien une

romancière dérangée, c'est selon. Cela pourrait avoir un rapport avec votre enfance, vos études, cherchez bien, une image, un son, une sensation?

— Je ne sais pas.

— Un prénom pareil, vous ne l'avez sûrement pas choisi par hasard.

Bien sûr que non. Je l'ai choisi pour *eux*. Je l'ai choisi pour qu'*ils* sachent, où qu'ils se trouvent, que tout cela je ne le fais pas contre eux, je ne veux pas les effacer, c'est le reste que je veux oublier, eux seront pour toujours enchâssés dans mon cœur.

C'était facile de jouer ce jeu. J'avais quand même fait une chute de sept mètres : personne ne s'était jamais posé la question de la simulation, au contraire, ils se projetaient, se montraient pleins d'empathie, s'interrogeaient, est-ce qu'ils auraient sauté, eux aussi, valait-il mieux périr asphyxié dans les flammes ou se jeter dans le vide?

Tout ce qui les préoccupait, c'était mon avenir immédiat, ce qu'ils allaient faire de moi, qui me prendrait en charge. Parfois, bien sûr, leur anxiété me contaminait, m'emportait, m'effrayait, pourquoi avais-je fait ce pari vertigineux, j'avais ouvert une porte interdite, ne devrais-je pas revenir en arrière tant que j'étais encore dans cet hôpital, tout avouer, Il n'y a pas d'amnésie docteur, je suis une usurpatrice, j'ai voulu échapper à une condition que j'avais pourtant acceptée autrefois, c'était une erreur, une lâcheté de ma part, j'ai manqué de courage, il faut m'excuser, la perpétuité est parfois lourde à porter.

Puis, l'instant d'après, je me rassurais, pensais au redoublement, l'incendie – l'incendie n'était pas un hasard, il était là pour purifier, des cendres on renaissait –, mon heure était venue, je devais l'accepter, ce n'était pas une opportunité bassement saisie, c'était un devoir, on ne refuse pas un tel cadeau, on ne tourne pas le dos à la providence, j'allais *vivre*, coûte que coûte.

Ce matin-là, écrasée sur le fauteuil de skaï gris collé à la fenêtre, le regard rivé sur la crête d'une rangée d'arbres au bout du parking de l'hôpital, je m'appliquais à observer les mouvements du vent en espérant accélérer le temps lorsque l'infirmière s'est penchée sur mon épaule.

– Vous avez de la visite, Zelda.

De la visite ? J'ai aussitôt suffoqué : alors, c'était fini ? Quelqu'un m'avait identifiée ? Mais qui ? Mes parents, malgré tout ? Kanarek ? Le préposé qui me remettait mon courrier lorsque je venais vider ma boîte postale ?

L'espace d'un instant, tout s'est rompu à l'intérieur, Non, pas ça, pas après ces efforts, pas après ces promesses, ce n'était pas juste !

Mais l'homme qui se tenait sur le seuil et m'étudiait avec une curiosité troublée, un badge autour du cou et de gros dossiers sous le bras, était un parfait inconnu.

– Je m'appelle Jean, a-t-il enfin souri. Je m'occupe d'une association caritative, l'Atelier, peut-être en avez-vous entendu parler ? Nous aidons les personnes en grande difficulté, les accidentés de la vie. Nous les guidons administrativement, psychologiquement, nous leur donnons un coup de pouce matériel lorsque c'est nécessaire, bref nous les accompagnons de toutes les manières possibles. L'hôpital nous a signalé votre cas.

Un immense frisson de soulagement m'a traversé le cœur.

– Pour ce qui est de recouvrer votre mémoire, le corps médical gérera, a-t-il poursuivi, mais pour le reste vous avez tout à faire, à réapprendre, tout à imaginer, tout à bâtir. Là-dessus nous croyons pouvoir vous aider – si vous êtes d'accord, bien entendu : il faut être deux pour entrer dans la danse. Eh bien mademoiselle, qu'en dites-vous ?

J'aurais aimé le serrer dans mes bras.

– C'est le ciel qui vous envoie.

– Je vous retourne le compliment – croyez-le bien.

Jean était non seulement courtois et délicat, mais également efficace et organisé. L'après-midi même, il a échangé avec les médecins, s'est occupé des autorisations et a prévenu qu'il viendrait me chercher la semaine suivante : l'Atelier disposait de quelques chambres, dont l'une m'était déjà réservée.

Il parlait avec lenteur, choisissant avec soin les

mots qu'il employait et les idées qu'il maniait, soucieux que je comprenne ce qu'il m'expliquait, les détails de mon transfert, les conditions de mon arrivée. « Cela vous convient Zelda, tout est clair, vraiment ? »

Je voyais bien qu'il craignait de faire un faux pas, de me brusquer, de me renvoyer à ma situation – du moins celle qu'il croyait être la mienne, celle d'une femme égarée. Je me sentais incroyablement chanceuse, il était si prévenant. Parfois aussi je surprenais dans son regard un voile trouble, presque triste, indéchiffrable – peut-être doutait-il à de courts moments du succès de sa tâche –, mais cela ne durait jamais : la ferveur qui l'habitait semblait inépuisable.

– Vous êtes tombée entre de bonnes mains, avait commenté l'infirmière, presque envieuse. L'Atelier est réputé pour faire des miracles.

Quelques jours avant ma sortie, Jean a apporté un ordinateur.

– C'est le moment de renouveler votre garde-robe !

L'hôpital m'avait obtenu un survêtement, un peignoir, deux tee-shirts marqués au sigle de la Croix-Rouge, deux pyjamas et quelques sous-vêtements. Tous beaucoup trop grands.

– Il vous faut quitter cet endroit avec les vêtements de votre nouvelle vie. Pour une femme, c'est encore plus symbolique, n'est-ce pas ?

Il y avait longtemps que mon apparence n'avait plus aucune importance à mes yeux. Je ne m'habillais qu'en fonction de deux critères : le prix et ce que je supposais que l'on attendait de moi dans ma fonction de secrétaire. Des tenues neutres, des couleurs classiques, rien qui puisse attirer l'œil, rien qui souligne les formes d'un corps, des matières faciles d'entretien, souples, solides, qui autorisent des gestes sûrs.

Dans les solderies et les boutiques à petits prix où je me fournissais, je me contentais d'enfiler à la va-vite les vêtements pour en vérifier la taille, je me moquais bien de savoir s'ils m'avantageaient, s'ils me donnaient un style plutôt qu'un autre. Je fuyais les miroirs.

Jean a fait défiler des dizaines d'images, robes, pantalons, pulls, chemisiers, manteaux, chaussures en tout genre, classiques, décontractés, bon chic bon genre, hippies, tous présentés sans marques ni prix. J'étais perdue.

– Prenez votre temps, Zelda. On ne se construit pas une identité si facilement, fût-ce à travers ce que l'on porte. Vous vous limiterez aujourd'hui à choisir votre tenue de sortie. Pour le reste, nous verrons plus tard et, surtout, sur place : vous aurez tout le loisir d'essayer et de décider de ce qui vous ressemble.

J'ai retenu une petite robe noire coupée au-dessus du genou, un gilet court, un trench, une paire de talons hauts.

– Huit centimètres? a sifflé l'infirmière par-dessus mon épaule, eh bien voilà au moins un indice, en tout cas ce n'est pas moi qui porterais des échasses pareilles. Je vous vois bien dans la banque, la finance, ça ne vous dit rien, les chiffres, la bourse? Vous étiez peut-être un de ces jeunes traders en tailleur qui font des millions en jouant sur un ordinateur?

Elle s'est interrompue : Jean la fusillait du regard.

– Bien, a-t-il conclu. Je vous apporterai tout cela demain.

Il a ramassé ses affaires et déposé un rapide baiser sur mon front avant de s'éclipser.

Il était déjà tard. J'ai attendu que les visiteurs désertent les bâtiments, puis je suis sortie de la chambre perchée sur la pointe de mes pieds nus, et j'ai déambulé dans les couloirs aussi longtemps que j'ai pu, le cœur battant lorsqu'une silhouette apparaissait, lorsqu'une porte claquait, comme si je pouvais être prise en flagrant délit de tromperie.

Mes pieds rompus aux chaussures larges, bon marché, auraient du mal à entrer dans des escarpins aussi fins. Mes muscles et ma colonne vertébrale souffriraient, forcément. La mue serait longue et douloureuse – mais elle était nécessaire.

J'étais prête.

Monsieur Mike

Je m'apprêtais à signer mes papiers de sortie.
J'avais embrassé mes copines en blanc, une joue de
femme, c'est toujours bon à prendre. Elles m'avaient
préparé un paquetage – une couverture de survie,
un thermos flambant neuf en inox, un réchaud, des
paquets de biscuits secs –, mes vêtements étaient
propres, bref j'étais paré pour la route quand ce gars
a surgi.

Il se tenait raide dans l'encadrement de la porte,
un clampin d'une cinquantaine d'années aux traits
réguliers et au physique moyen, ni beau ni laid, ni
petit ni grand, pas très épais, un type comme j'en
voyais passer des centaines chaque jour devant mon
porche.

– Je ne vous dérange pas ?

– Ça dépend.

– Permettez-moi de me présenter. Je m'occupe

d'une association d'entraide aux personnes vulnérables : l'Atelier. L'assistante sociale vous a sans
doute parlé de nous ?

– Ah ça oui ! Alors toi aussi, tu penses que je
suis *vulnérable* ? Mieux vaut entendre ça que d'être
sourd…

– Sûrement pas. D'ailleurs, vulnérable, c'est
surtout un terme administratif, c'est bien pour
les formulaires, les demandes d'adhésion, les col-
lectes de fonds, c'est une question de présentation,
ça rassure la plupart des gens. Oublions l'adjectif,
j'aurais aimé vous parler de l'association, si vous
aviez un moment bien sûr.

– Il faut que je quitte la chambre, mais si tu
m'offres une bière, je suis prêt à t'écouter toute la
semaine.

J'avais dit ça pour m'en débarrasser. À ma grande
surprise, il m'a tendu mon blouson, ravi comme un
curé après la quête.

– Avec plaisir. Allons-y.

Je commençais à cerner le bonhomme. Il me
la jouait ami-ami, compréhensif et tolérant, mais
à peine assis, il me servirait le baratin classique et
me causerait lutte contre l'exclusion, projet de réin-
sertion, Alcooliques anonymes et tout le tintouin.
Il me proposerait un pacte, tu arrêtes la binouze, tu
vas aux bains douches, en échange de quoi tu auras
des tickets restaurant et une place en foyer. Du grand

classique, mais si ça me permettait dans un premier temps de me rincer le fusil, alors pourquoi pas?

Il a commandé deux bocks, a plissé le front, il me scrutait l'animal, il cherchait à voir de quel bois j'étais fait, moi je lui renvoyais la politesse et tout à coup, après un long silence :

— Ne croyez pas que je sois venu pour vous aider, Michel.

— Monsieur Mike.

— Ah oui, c'est vrai, l'assistante m'avait prévenu, au temps pour moi. Donc, Monsieur Mike, si je suis venu aujourd'hui, c'est uniquement parce que j'ai besoin de vous.

— Tu me prends pour un lapin de six semaines mon gars?

Personne n'a jamais eu besoin de moi, d'aussi loin que je m'en souvienne. Sauf ma mère, pour toucher les allocations familiales. Quand elle a réapparu après sept ans et des poussières chez mes grands-parents, c'était pas pour me faire des câlins, la pétasse : elle voulait toucher le pognon. Elle a déboulé un dimanche, on prenait le petit déjeuner, Tiens, a fait mon grand-père, une revenante.

Et c'est vrai, elle ressemblait à un fantôme, la peau blette, couverte de boutons, les cheveux sales, la clope au bec, elle n'a pas dit bonjour, elle n'a pas frappé à la porte, elle s'est plantée devant la table et elle a craché, Je viens reprendre Michel, c'est qui sa mère, je me trompe pas, c'est bien moi?

— Fallait t'en souvenir plus tôt, que le grand-père lui a répondu, depuis le temps qu'on s'en occupe, tu lui as pas envoyé une carte, pas un coup de téléphone, on n'habite pas en Alaska quand même, on n'est pas chez les sauvages, ici, il y a des trains, des autobus, tu pouvais lui rendre visite.

Moi je regardais cette folle que j'avais jamais vue, enfin, paraît-il, vue jusqu'à l'âge de deux mois, tu penses si je m'en souvenais, je m'accrochais à la main de ma grand-mère comme un morpion à une couille de bidasse, les yeux fermés en espérant que ça passe, qu'elle disparaisse, je pensais : *du moment que je tiens cette main dans la mienne il peut rien m'arriver, pas vrai?*

— J'en ai rien à foutre de tes leçons de morale. Ça t'a bien arrangé d'avoir mon môme pendant tout ce temps, qui c'est qu'a touché les allocs? Qui c'est qui te paye ta retraite de chômeur? C'est pas une belle vache à lait, mon Michel? Mais c'est fini tout ça, maintenant j'ai un boulot, un chez-moi, alors je reprends mon fils et basta.

Elle m'a emmené le jour même. Je croyais pas ça possible et pourtant ma grand-mère m'a dit Michel, mon petit Michel, on n'a pas le choix, c'est la loi, c'est ta mère cette salope, c'est elle qu'a tous les papiers, nous on n'a rien de rien sauf qu'on t'aime. Forcément : ils ne savaient ni lire ni écrire, c'était la voisine qui remplissait les mots pour l'école

— jusqu'au CP, parce qu'après j'ai pris la relève —, alors les papiers pour ma garde, ils risquaient pas de les avoir demandés.

Ça s'est passé aussi simplement que ça. Ils m'ont préparé un sac sous l'œil de la génitrice, je sentais bien qu'ils n'étaient pas fiers, qu'ils s'en voulaient de me laisser partir, qu'ils étaient malheureux et moi, c'était pire, je les détestais, j'ai même refusé de les embrasser pour leur dire au revoir, comment je pouvais savoir à ce moment-là, comment je pouvais imaginer que je ne les reverrais plus, quel sale petit con de môme j'étais.

Ils sont morts deux ans après, l'un après l'autre, à deux ou trois mois d'intervalle, tous les deux d'une crise cardiaque pendant leur sommeil. Ma mère a pas voulu que j'aille à l'incinération, soi-disant c'était pas un spectacle pour un enfant, la vérité c'est qu'elle ne comptait pas mettre quarante euros de plus pour me permettre d'aller là-bas, surtout pour faire un «aller-retour» et puis, comme elle disait, de toute manière je vais pas traîner, là où ils sont ça leur est bien égal que j'y mette les formes ou pas.

J'ai jamais su ce qui s'était passé entre eux, pourquoi ils ne s'aimaient pas, elle était fille unique quand même, malgré ça il n'y avait pas la moindre photo d'elle chez mes grands-parents, pas la trace d'un souvenir d'enfant, et le jour où j'ai trouvé le courage de poser une question, mon grand-père a répondu, Faut croire qu'on n'était pas assez bien pour elle.

C'était congénital : elle ne m'a jamais aimé non plus. Pourtant je ne veux pas me lancer de fleurs, mais j'étais pas mal comme gamin. Je voulais contrarier personne, je travaillais à l'école – et bien, toujours premier ou presque –, j'étais jamais malade, mais rien à faire : elle me regardait comme si j'étais une de ses clientes (elle était aide ménagère), me préparant des plateaux-repas le matin, réparant un accroc à mon pantalon, le minimum syndical quoi, et puis me laissant ma liste de tâches pour la journée, du linge à repasser, des patates à éplucher ou les chaussures à cirer. C'était sa vision des choses : chacun sa part, *parce que la vie c'est des vacances pour personne, figure-toi.*

Le soir, elle m'envoyait dans ma chambre, Que je te voie plus traîner par là avant demain !

Je m'allongeais et, juste après, j'entendais sonner à la porte, c'était l'heure des hommes et des grincements de sommier, je ne les ai jamais rencontrés, je n'ai entendu que des voix et parfois des cris, le lendemain je trouvais ma mère endormie sur le canapé, les cendriers remplis, des bouteilles de bière vides sur le sol, parfois même un soutien-gorge ou des collants, et quand je la réveillais, parce qu'il fallait bien qu'elle aille au boulot, elle commençait par m'engueuler.

— Je suis sérieux, Monsieur Mike, j'ai besoin de vous. Vous tombez du ciel, vraiment, car on vient de me lâcher. Voyez-vous, dans mon activité, il faut savoir négocier, convaincre, inventer des solutions en urgence, et bien souvent, on se retrouve dans des situations délicates où il n'est pas facile de se faire entendre. J'ai besoin d'ordre, d'autorité. J'ai besoin de faire respecter certaines décisions, hélas, seul, j'ai parfois du mal. Mais regardez-vous : un ancien militaire ! La poigne incarnée ! Vous me suivez ? Alors voilà : j'ai un poste à pourvoir et je veux vous embaucher. À certaines conditions bien entendu, nous faisons dans le caritatif, il faut être motivé par autre chose que par un gros salaire. Mais vous serez blanchi et logé.

Je l'écoutais parler, j'essayais de voir le piège, la faille, à mon âge on sait que la bonne fée et les sept chiffres au Loto, ça n'existe pas, pendant des mois j'avais posé un écriteau devant mes marches, «recherche emploi, étudie toute proposition», sans que jamais au grand jamais personne ne s'arrête – les gens avaient leur propre vie, leurs propres problèmes à résoudre, mais surtout je leur faisais peur, ils voyaient en moi le spectre de la violence, de l'alcool et, pire, celui de la pauvreté – je pouvais pas leur en vouloir.

– Voilà ce que je vous propose. Un hébergement dans les locaux de l'association, un mois de période d'essai et, si tout va bien, on signe pour la suite. Ce que j'attends de vous, c'est que vous nous protégiez.

Moi, les autres membres de l'association, ceux auxquels nous venons en aide. Vous aurez le titre de responsable de la sécurité. Est-ce que ça pourrait vous convenir ?

Tu parles. La sécurité, débouché principal et naturel du troufion de base, celui qui a été assez con pour pas faire électricien ou mécano, ni profiter des services de l'armée, « à la pointe de la formation professionnelle » comme ils disent.

Moi aussi, j'avais proposé mes services dans les boîtes de vigiles, mais on m'avait jeté comme un malpropre, les déserteurs c'était mal vu, on me soupçonnait d'avoir eu les pétoches de repartir en Afgha – Dieu sait pourtant que c'était pas le cas.

– J'aime autant te prévenir, histoire qu'il y ait pas d'ambiguïté entre nous : j'ai pas fini mon deuxième contrat. Je me suis calté de l'armée avant le pot de départ, si tu vois ce que je veux dire. Alors t'es bien sûr de vouloir persister dans ta proposition ?

– Absolument. Vous avez besoin d'un toit, nous avons besoin de vos bras. Quand tout le monde est gagnant, la formule marche, croyez-moi. Mais attention, Monsieur Mike, en échange je veux du solide, du costaud, pas de la jambe tremblotante, pas du poing qui s'effrite, pas de l'œil qui tourne parce que là, il y aurait faute grave et divorce aux torts, alors pédale douce sur la bière.

J'avais du mal à croire ce que j'entendais, pourtant on était bien là, lui et moi, à palabrer à propos d'un boulot, d'un lit, et même de mon passé, et j'avais beau rester en alerte, guetter l'embrouille, j'avais beau me répéter que *normalement ça ne pouvait pas arriver*, que forcément quelque chose m'échappait, un détail, une phrase mal interprétée, une clause cachée, il fallait me rendre à l'évidence, ce type était plus que sérieux et la proposition semblait tenir debout.

Le farfadet pouvait dormir tranquille : je lui rendais ses marches, je prenais un costume et je changeais de quartier.

Mariette

Le psychiatre m'avait dit, Soyez tranquille, c'est un établissement fantastique, le personnel est à l'écoute, les activités stimulantes, il ne faut pas vous braquer sur une définition, *Centre de santé mentale*, peut-être même entendrez-vous le terme *hôpital psychiatrique*, la plupart des gens sont terrifiés dès qu'on prononce cet adjectif, ils font l'équation psychiatrique égale fou, vous n'êtes pas folle bien entendu, l'important c'est de savoir que cet endroit vous remettra sur pied, et très vite, croyez-moi.

Je n'étais pas terrifiée. Je lui ai soufflé, Ne vous cassez pas la tête à inventer des circonvolutions, à employer des euphémismes, bien sûr que je suis folle, ils m'ont rendue folle les élèves, les parents, ces années de critiques accumulées, de doigts pointés, d'hostilité, sans parler de la défection de Charles, la trahison de mon mari, pour le meilleur et pour le pire disait-il, je savais que nous étions loin du compte, très loin même mais à ce point, ce n'est plus un gouffre qui nous sépare, c'est un abîme sans fond.

Dès mon arrivée, on m'avait avertie des conditions : pas de téléphone portable, pas de télévision sauf un programme choisi et regardé en commun – Vous verrez, cela ne vous manquera pas du tout.

Ma chambre était petite mais lumineuse, orientée à l'est. J'ai rangé mes affaires, était-ce le calme qui régnait dans les couloirs ? Un sentiment de soulagement et de sécurité m'a aussitôt enveloppée, réchauffée, j'ai su que je pourrais dormir, que les pensées, les images, la sensation du cœur tassé dans la poitrine, celle du souffle court, rien de tout cela ne pourrait m'atteindre ici, les voix étaient feutrées, les regards bienveillants, ceux des soignants comme ceux des patients – arrivés presque tous sur la même indication –, il n'y avait nul besoin de s'expliquer : nous savions la débâcle qu'avait vécue l'autre quelle qu'en soit la forme, l'épuisement, le harcèlement, le sentiment d'humiliation, la guerre, l'asphyxie, nous savions tous que bientôt, d'une manière ou d'une autre, nous en aurions terminé avec la douleur.

Je faisais de longues promenades dans le parc au petit matin, j'écoutais le bruissement des feuilles, j'observais l'herbe givrée, les variations du ciel, mon corps se réveillait comme si mon sang circulait à nouveau après un long sommeil, comme si je prenais soudain conscience de chacune des cellules qui me composaient, comme si je renouais avec moi-même, était-ce possible de s'être oubliée à ce point? L'après-midi, nous nous réunissions, c'était la *thérapie de groupe*, le *partage d'expérience*s, peu à peu, les douleurs s'étiolaient.

En dix jours, mon visage s'était modifié, la couleur de ma peau, sa texture même.

Le médecin m'a convoquée, il était satisfait.

– Cette méthode est décidément la meilleure, vous vous reconstituez Mariette, c'est spectaculaire, voyez comme une coupure, une véritable pause suffit parfois à nous remettre d'aplomb, prenez-le comme une renaissance, dites-vous qu'il fallait en passer par là, craquer, franchir une limite pour reprendre à zéro, voilà le travail, une femme neuve ou presque, solide, quasiment prête à rentrer chez vous – je vous crois même capable, ma chère, de reprendre les cours à la fin du mois.

Une pluie de cendres a inondé mon cou, balayant mes progrès en une fraction de seconde. Je l'ai apostrophé, La fin du mois, vous plaisantez? Autant dire demain! Vraiment, c'est pour cela que vous m'avez fait venir, pour m'annoncer mon renvoi? Vous comptiez vous débarrasser de moi avec ces trois petits mots? Dix jours et tout va bien, les problèmes sont réglés? Docteur, vous voulez me TUER?

Il a froncé les sourcils, Calmez-vous madame, vous sur-réagissez, tout de suite les grands mots, *vous tuer*, et puis quoi encore ? Si un psychiatre vous a prescrit deux semaines dans ce centre, ce n'est pas un hasard, nous sommes des professionnels, nous connaissons notre métier !

On m'avait informée que Zébranski, bien qu'il se trouve encore sous surveillance, se portait à merveille en dehors de quelques hématomes bénins et d'une fracture au poignet. Comme il avait vomi à deux reprises, les médecins et ses parents s'étaient accordé quelques jours pour s'assurer qu'aucun autre problème supplémentaire ne surviendrait – et sans doute aussi pour négocier au plus juste avec Charles.

Je connaissais assez ce sale gosse pour imaginer combien il devait savourer son nouveau statut de vedette au collège. Il avait peut-être dévalé les escaliers, mais c'était moi qu'il avait fait tomber. Au moment où nous évoquions mon retour, il était sans doute occupé à inventer de nouvelles bassesses, préparer notre futur affrontement.

Il ne me raterait pas, il y mettrait un point d'honneur.

– Ce ne sont pas des grands mots, docteur, c'est la vérité, je ne suis pas solide, vous me surestimez. Je ne veux pas retourner là-bas. D'ailleurs, je ne veux pas non plus rentrer chez moi. Enfin, je veux dire, pas maintenant, c'est beaucoup trop tôt, je ne peux pas, regardez comme je tremble à cette simple idée. En me renvoyant, vous allez me tuer, ou bien c'est moi qui me tuerai!

Ne vous fiez pas aux apparences, docteur, les plaies sont trop profondes pour guérir en dix jours. Je ne suis pas prête à retrouver le mépris de mon mari, l'indifférence de mes fils, l'écrasement du quotidien, qu'est-ce qu'on mange ce soir, quoi mon tee-shirt n'est pas encore lavé, qu'est-ce qu'elle fout la femme de ménage, maman il faut me racheter des baskets, chérie j'ai invité les Bernard à dîner tu seras gentille de nous faire autre chose que ton poulet dégueulasse de la dernière fois, et puis c'est quoi ces cheveux, on dirait Rod Stewart avec des extensions!

Charles, salivant de me voir ployer. Max et Thomas, riant aux plaisanteries de leur père. C'est de l'humour maman, il faut se détendre!

Sur qui se défoulent-ils depuis que je suis partie? S'écharpent-ils entre eux ou retiennent-ils leurs coups, s'économisent-ils en attendant mon retour?

— Je veux rester ici, docteur, ai-je supplié, écrasée d'anxiété, rien n'est gravé encore, je ne tiens qu'à un fil, je le sens dans chacune de mes inspirations, dans chacun de mes pas, là-bas je n'y arriverai pas, je ne suis pas de taille, ce sera au-dessus de mes forces, je ferai un arrêt cardiaque, par pitié ne faites pas ça!

Il était métallique.

— Vous exagérez, Mariette, on vous a envoyée ici pour vous refaire une santé, pas pour prendre des grandes vacances, ni résoudre vos difficultés conju-gales. Vous avez pu vous reposer, faire le point, vous avez une structure familiale stable, vos enfants ont besoin de vous, quant au collège, ce n'est qu'une question d'appréhension, un passage délicat, n'ou-blions pas qu'en vingt ans vous n'avez pas eu le moindre problème, pas un seul arrêt de travail, alors franchement, je ne suis pas inquiet.

J'ai senti mon sang refluer, Pas inquiet, vous n'êtes *pas inquiet*? Attention, docteur, je me sens comme une bombe sur le point d'exploser, je ne réponds de rien, vous serez seul responsable de la catastrophe qui s'annonce.

Il a réfléchi en grignotant le bout de son stylo, il n'aimait pas ce qu'il entendait, je lui faisais peur à la fin, la responsabilité, ça, c'était un épouvantail, il fronçait encore et encore les sourcils, est-ce qu'elle ne pourrait pas me péter entre les doigts cette conne, et puis il y avait eu *l'affaire Zébranski*, ce n'était pas rien, un élève aurait pu y laisser sa peau, imaginons que ça la reprenne, Bien, laissez-moi un peu de temps a-t-il finalement concédé, je reviendrai vers vous, mais ce n'est pas si simple, il faudrait vous trouver une place ailleurs et par les temps qui courent, les établissements sont bondés, ceci dit vous n'êtes pas tout à fait n'importe qui, votre mari a des relations, je vais voir ce que je peux faire, je vais le contacter.

Je me sentais si loin de tout, en orbite, incapable de me projeter. Qu'il appelle Charles, qu'il appelle même le président si c'était nécessaire, du moment qu'il ne me jetait pas dehors. Du moment qu'on me foutait la paix.

Le soir même, il est passé me voir avant de quitter le centre, soulagé.

– Je crois que nous tenons une piste. Nous aurons une réponse rapidement. Quoi qu'il en soit, je vous garde encore une semaine si nous ne trouvons pas mieux d'ici là.

Les jours suivants ont été éprouvants. J'avais beau parcourir les mêmes chemins ombragés, contempler les mêmes arbres, j'avais beau me forcer à compter les brins d'herbe et les merles qui s'y cachaient, mon esprit refusait de respirer et me ramenait aux couloirs du collège, au carrelage beige de ma cuisine, au hall sombre de l'immeuble, à la débâcle de mon mariage.

Je recroquevillais mes doigts de pied, j'enlevais mes chaussures pour sentir le contact de la terre humide, je caressais les paumes de mes mains, j'inspirais, le nez collé sur les branches de sapin, en vain, le lien à peine tissé avec moi-même s'était déjà rompu.

Jusqu'à cette fin d'après-midi, où une main s'est posée dans mon dos, avec douceur, presque une caresse.

– C'est comme un rendez-vous manqué, n'est-ce pas ? On pense avoir avancé et soudain, on s'aperçoit que rien n'est réglé. On a fait du surplace.

Je lui donnais la cinquantaine, un homme de taille moyenne, brun, quelques mèches grisonnantes, l'œil attentif, jamais vu par ici. Il s'est assis à côté de moi sur le banc de pierres où je laissais divaguer mes pensées.

– Je m'appelle Jean Hart. Je m'occupe d'une association d'entraide qui prend en charge les personnes en difficulté sur le plan moral ou matériel, c'est selon. Nous avons été alertés sur votre cas par le Centre. Votre médecin vous cherche une place pour quelques semaines supplémentaires, n'est-ce pas ? Eh bien justement, nous avons ce qu'il vous faut, une chambre meublée, indépendante et surtout une équipe de professionnels compétents. Si je résume ce qui m'a été dit, vous avez fait un *burn-out*, vous étiez épuisée et malgré deux semaines de repos, des signes d'amélioration certains, une volonté réelle de vous rétablir, vous semblez soudain à cran à l'idée de reprendre le collier. Bref, le boulot n'est pas fait, vous êtes encore fragilisée.

Un tremblement de colère m'a parcourue, *À cran*, c'est le qualificatif qu'il a employé ? Un *burn-out*, c'est à cela que le médecin a réduit mon état ?

Il a pris ma main dans les siennes, Allons, ne lui en tenez pas rigueur, son rôle était de vous rendre au plus vite à vos engagements, de limiter les frais, ici les séjours sont de courte durée et c'est là que vous posez problème, vous soulevez des questions de fond qui dépassent sa mission, vous êtes le grain de sable qui torpille son organisation – peu importe, nous sommes là pour ça, nous prendrons le temps ensemble.

– Je ne suis plus sûre de pouvoir m'en sortir. Je ne suis même plus sûre d'en avoir envie.

– Faites-moi confiance, Mariette. Des gens comme vous, au bout du rouleau, j'en suis depuis si longtemps, si vous saviez. Nous vous écouterons, vous nous écouterez, c'est l'essentiel de la recette. Nous vous apprendrons à vous regarder telle que vous êtes vraiment, et non au travers des yeux des autres, ni des filtres que vous a imposés votre histoire. C'est ce qui nous tue : les filtres. Il faut les cerner et les anéantir. Nous vous apprendrons à aimer vivre chaque instant. Il n'y aura plus de pièces manquantes, de chevilles mal fixées, de tristesse ou de pessimisme, et puis vous savez ? Cela marchera tellement bien qu'il arrivera un jour où ce sera votre tour d'aider les autres à vivre.

Il avait une voix douce, rassurante. Il me proposait une chambre, du calme, du temps : tout ce dont j'avais besoin, là, maintenant. Mon angoisse est retombée d'un coup, il l'a senti, m'a tendu le bras. Je m'y suis accrochée.

– Vous serez bien avec nous, a-t-il conclu.

MILLIE

Nous sommes arrivés au pied d'un petit immeuble de brique rouge aux larges fenêtres dessinant des ogives. Voilà, a fait Jean, c'est ici.

Il a poussé une porte en bois verni, le hall était large, le sol couvert de carreaux en ciment aux motifs mélangés de vert pâle, de beige et de noir. Un immense cadran aux aiguilles de bronze ornait le mur.

– C'était un atelier d'horlogerie, a-t-il souri. Remettre les pendules à l'heure, réparer la mécanique humaine : c'est un peu notre spécialité, non ?

De part et d'autre, j'apercevais des silhouettes penchées sur des ordinateurs. L'atmosphère était studieuse. Lui parlait sans s'interrompre, excité de dévoiler son univers, tandis que je m'appliquais à calmer les battements de mon cœur – ce n'était pas facile d'être une autre, de rester concentrée, ne rien trahir du passé, il fallait sans cesse choisir ses mots, surveiller ses attitudes, réduire les tâtonnements.

— Nous ne sommes qu'une demi-douzaine de permanents, mais notre réseau compte de nombreux bénévoles et membres cotisants. Et puis, bien sûr, il y a les locataires.

Quatre chambres. Réservées, a-t-il précisé, aux cas les plus complexes ou parfois aux urgences.
Mais nos locataires ne restent jamais très longtemps, et vous savez pourquoi ? Parce qu'ici, tout comme ceux de passage, ils retrouvent un sens à leur vie, une direction, le bonheur d'exister, la conscience d'être, alors ils n'ont plus besoin de notre aide, ni matérielle, ni immatérielle, ils rejoignent la cohorte des anciens de l'Atelier et c'est à eux, ensuite, d'apporter leur concours. D'ailleurs, Zelda, vous verrez bientôt notre petite armée à l'œuvre.
Il m'a prise fermement par l'épaule et il a ajouté : Bientôt, vous aussi, vous en rejoindrez les rangs.

Ma « chambre », aussi grande en fait que mon ancien studio, était située au premier étage. Des murs blancs impeccables, une petite salle de bains derrière une cloison coulissante, de jolis meubles en bois ancien, chevet, commode, une table sur laquelle étaient posés une cafetière, deux plaques électriques et un four à micro-ondes. Dans l'angle, un petit réfrigérateur.

– Nous avons conçu ces espaces avec l'obsession de l'autonomie et de la liberté. Nous tenons à ce que nos locataires se sentent parfaitement à l'aise. Ah, voici votre clé, à partir de maintenant, chère Zelda, vous êtes ici chez vous.

Chez moi… Alors c'était bien ça ? Un miracle, un don du ciel, un signe qu'un chapitre se fermait et qu'un autre s'ouvrait ? C'était bien la preuve, n'est-ce pas, la preuve que *ce n'était pas ma faute*, c'était arrivé, soit, mais je n'y pouvais rien, car enfin, a-t-on déjà vu un criminel récompensé de cette manière ?

Jean ne disait jamais «je», mais toujours «nous». Il était pourtant évident qu'il était le patron. Les hommes et femmes qui allaient et venaient, dossier sous le bras, téléphone à l'oreille – et qu'il me présentait à mesure que nous les croisions, Sylvie, Michèle, Frédéric, d'autres encore –, s'adressaient à lui avec respect, presque déférence.

Je me suis fait cette réflexion, c'était étonnant, comme ce type qui n'avait l'air de rien pouvait posséder autant d'autorité.

Il avait sa petite idée me concernant. Il comptait parcourir la ville à la recherche de sensations. Nous irions de quartier en quartier, nous parlerions de tout et de rien, nous évoquerions l'actualité, nous

nous promènerions dans des squares au milieu des enfants.

— Je me fais fort de trouver une piste Zelda, c'est si terrible de n'avoir aucun souvenir, j'imagine ce que vous endurez, cette impression d'avancer sur du vide à la manière de ces personnages de dessin animé qui traversent un précipice jusqu'à s'apercevoir qu'ils n'ont rien sous leurs pieds, alors ils tombent, ils s'écrasent, mais je refuse que vous tombiez Zelda, ah ça non, surtout pas vous, c'est un défi personnel, peut-être le plus grand, le plus vaste de toute ma carrière — si j'ose employer ce mot, car je ne l'aime pas, vous vous en doutez —, disons plutôt dans l'exercice de ma fonction.

» Nous allons reconstituer le tableau de votre vie, je vous le promets jeune fille, et vous savez quoi ? S'il manque des couleurs, eh bien nous en fabriquerons de nouvelles.

Par instants, je me reprenais à douter : cet homme était si généreux, enthousiaste, déterminé à me sauver ! Et je m'apprêtais à combattre chacun de ses efforts, à neutraliser chacune de ses avancées ! Avais-je le droit d'exploiter ainsi sa bonté ?

Puis aussitôt, je me rassurais : Jean voulait m'aider, nous avions un objectif commun : *ma seconde chance*. Je n'avais rien volé, j'avais risqué ma vie, tout de même !

Il m'avait octroyé un budget conséquent pour compléter ma garde-robe, qu'il comptait bien choisir avec moi. Il riait en m'emmenant ce jour-là.

— Eh bien, si on m'avait dit que je prendrais un jour plaisir à faire les boutiques !

Puis il s'était assombri, brièvement.

— Tout va bien, Jean ? À quoi pensiez-vous ?

— Aux regrets, à l'urgence de saisir le bonheur, à l'importance d'y croire, mais voyons, quel rabat-joie je peux être parfois, allons, allons, au travail, Zelda, nous avons un programme chargé !

Nous nous étions rendus dans un grand magasin dont les publicités inondaient les murs de la ville. Je contemplais sans me lasser les présentoirs sophistiqués, les vêtements rangés par couleur, par taille, les allées décorées avec soin, si loin des entassements de bacs plastique dégoulinants de robes ou de pulls de second choix, de collants parfois filés, dans lesquels je me fournissais jusque-là.

— Une petite fille de huit ans, ni plus ni moins, s'amusait Jean. Voilà un avantage certain à votre situation, retrouver la capacité d'émerveillement, l'innocence !

Étais-je innocente à huit ans ?

Coupable à douze ?

À huit ans j'avais des amies, d'autres petites filles qui empruntaient le même car scolaire, jouaient à tresser des lanières de plastique, chuchotaient des secrets en prenant un air important. À huit ans je voulais chanter dans une robe à paillettes, devenir vétérinaire ou star de cinéma. À huit ans j'écarquillais les yeux devant la directrice de l'école, une femme étourdissante aux fesses moulées dans des jupes faussement strictes et je suppliais ma mère de me prêter ses escarpins, son vernis à ongle, son maquillage, ce qu'elle refusait absolument en soupirant, Enfin, Millie, j'espère que tu seras moins légère en grandissant, Dieu merci je n'ai qu'une fille – oui tu l'as prononcée cette phrase maman, je ne t'accuse pas, je me borne à souligner, à questionner la parole, la pensée, la possibilité de la prescience, à huit ans j'étais encore heureuse, nous l'étions tous les cinq, à huit ans je portais l'embryon d'un futur irradiant.

J'ai opté pour une robe rouge décolletée, deux jolis chemisiers, un pantalon à taille basse et une nouvelle paire de talons – une fois de plus, des vêtements que jamais Millie n'aurait portés –, Oh! Zelda, s'est écrié Jean, tandis que je sortais de la cabine d'essayage, vous êtes splendide, éblouissante, une véritable conquérante, c'est sûr, le monde n'attend que vous!

Les yeux collés au miroir, je me suis appliquée à ne pas trembler sous le poids de ses mots, une *conquérante*, j'allais m'y employer, oui, ce ne serait pas simple mais je réussirais, je me montrerais à la hauteur de notre espérance commune, j'avancerais sans jamais fléchir, sans jamais faiblir et surtout, surtout, sans plus jamais regarder en arrière, quand bien même la tentation serait grande, quand bien même des voix se feraient entendre, je me boucherais les oreilles, je me barricaderais à l'intérieur et tout irait bien.

Jean s'était occupé des papiers administratifs. J'ai choisi une identité officielle, Zelda Marin, un nom pris au hasard dans l'annuaire, un beau présage selon mon bienfaiteur. Il ne me manquait plus qu'un emploi.

Il m'a fait venir dans son bureau, m'a installée devant son ordinateur, Voyons ce que vous saurez faire de ceci !

Je me suis emparée du clavier : de poste en poste, d'usine en entreprise, j'avais appris le traitement de texte, les logiciels de présentation, les tableaux, les figures, la comptabilité, les feuilles de paie et la gestion des contentieux – je savais aussi surveiller le pétrin, la fermentation et la cuisson des fournées, mais cela, je n'aurais pas à le mentionner.

Jean n'était pas étonné.

– J'étais sûr que vous travailliez dans un bureau. C'est parfait. Un de mes amis, qui dirige une entreprise d'import-export, est à la recherche d'une assistante. Vous parlez l'anglais ?

– *Yes, I do*, ai-je répliqué dans un sourire. L'anglais et l'espagnol.

— Une secrétaire trilingue, on ne pouvait pas rêver mieux. C'est un bon point de départ, non?

Le même qu'à mes dix-huit ans. Mais cette fois, tout serait différent. Tout.

— Ça dépend du salaire et des conditions, ai-je répondu. Mais pourquoi pas.

Jean a blêmi subitement. Eh bien, vous ne manquez pas d'air, a-t-il grincé, *pourquoi pas, ça dépend*... Sans doute avez-vous oublié *aussi* le taux de chômage de ce pays? Encore plus chez les jeunes de votre âge?

Lorsque l'infirmière avait écrit *vingt ans* sur ma fiche, j'avais failli la reprendre : vingt-trois. Ils avaient estimé mon âge en utilisant différentes mesures, des radiographies à propos desquelles je les avais entendus débattre puis conclure d'un ton désolé : quoi qu'il en soit, elle est jeune, elle a moins de vingt-cinq ans.

— Moins de vingt-cinq ans! Si vous étiez lâchée dans la nature, vous n'auriez même pas droit aux minima sociaux... Vous imaginez combien de demandes d'aide nous arrivent chaque jour? Combien partent au panier avec un mot de regret poli? Vous avez eu beaucoup de chance d'être choisie, jeune fille, mais attention, rien n'est jamais acquis!

Il avait les mâchoires serrées, il m'a observée en silence un instant, comme s'il réfléchissait à la suite à donner, Quelle idiote, pensais-je, à vouloir cultiver les opposés, je tombe dans les extrêmes.

Mais cette violence, cet air mauvais, ce ton cinglant, cet autre Jean !

— Je suis désolée, me suis-je excusée, c'était une réflexion stupide. C'est, je crois… L'amnésie… parfois, les mots et les idées s'emmêlent… J'ai du mal à trouver ma place…

Il a pris une interminable inspiration. Puis son visage s'est détendu, ses poings se sont desserrés, sa voix a retrouvé ses inflexions bienveillantes. Comme si rien ne s'était passé.

— Au moins, vous avez du tempérament, c'est un bon point. N'en parlons plus, je vous organise un rendez-vous.

Il s'est levé, signifiant la fin de notre entretien. À la porte de son bureau, un gaillard athlétique me dévisageait avec flegme.

— Ah, vous tombez bien, Monsieur Mike, a souri Jean en l'apercevant.

Il a contourné son bureau et posé sa main sur son épaule, dans un geste amical.

— Monsieur Mike est le nouveau responsable de la sécurité. Vous serez amenée à le croiser fréquemment, d'autant qu'il loge dans une chambre tout près de la vôtre. N'hésitez pas à faire appel à lui si vous avez le moindre souci, il sera votre ange gardien.

Nous nous sommes salués poliment.

– Au fait, Zelda, a encore lancé Jean, pensez à vous procurer un téléphone. Et passez récupérer le double de votre dossier bancaire auprès de Sylvie. Elle vous communiquera également la date et l'heure de votre entretien avec Robertson. Allez, filez !

Était-ce ce bref incident avec Jean ? Le regard appuyé du *responsable de la sécurité* ? Ces talons qui me cisaillaient les pieds ?

La nausée est montée brusquement tandis que je m'éloignais, vite Millie, tu ne tiendras pas long-temps, vomis-la ton angoisse, ta peur de vivre, crache-la avant qu'elle ne t'étouffe !

Je me suis précipitée dans l'escalier et j'ai couru dans ma chambre – enfin, enfin, le soulagement.

Monsieur Mike

Je me suis pincé.

En général c'est une expression, se pincer pour être sûr qu'on ne rêve pas, mais là, je l'ai *vraiment* fait, et pas qu'un peu parce que je soupçonnais *vraiment* que je dormais. Il faut dire que j'ai une vie nocturne très agitée depuis que je suis gosse, je promène ma grand-mère au volant d'une DB 5, j'arpente en caleçon la Vallée de la mort, je survole Teotihuacan à la brasse, je fume le cactus en Amazonie ou je me prélasse en Guyane dans des eaux couleur d'orage avec autour du cou une fille qui m'aime. Alors pourquoi un bon Samaritain ne ferait-il pas irruption dans mon sommeil, équipé d'un boulot, d'un logement et de tout le barda?

Je ne rêvais pas. Ce gars en costume noir et chemise blanche dans le miroir, c'était bien moi.

J'ai failli me ruer dehors, prendre le train, débarquer chez Madame Mike, ex-madame Mike pour être précis, parader sous ses yeux de biche putassière, Regarde-moi ça Strychnine, le caniveau j'en suis sorti, j'ai les mains propres, je suis *responsable de la sécurité*, ça te dit rien ? Chef, salaire, costume, et c'est qu'un début crois-moi, puisqu'on m'en donne l'occasion je vais faire mon trou, ma place au soleil, responsable et respectable je serai, que tu le veuilles ou non, Mike est de retour !

Puis je me suis souvenu que Madame Mike était partie sans laisser d'adresse, Madame Mike avait disparu corps et biens, ça non plus ce n'est pas qu'une expression. Lorsque je me suis pointé là-bas pour récupérer mes affaires deux semaines après qu'elle m'a jeté dehors, j'ai appris qu'elle avait fait venir une entreprise de débarras, vidé la maison et adieu, monde cruel. En deux semaines.

La voisine était gênée quand j'ai sonné chez elle : il était clair qu'elle en savait long sur la fuite de la félonne. Comme je pouvais être persuasif, elle a fini par m'avouer qu'un grand brun à lunettes, un *monsieur très bien*, était venu la chercher, il conduisait une voiture allemande noire avec des vitres teintées et des sièges en cuir beige, immatriculée en Alsace. En Alsace ! À des centaines de kilomètres ! Sûr qu'elle l'avait trouvé sur Internet, c'était ma faute pleine et entière, j'avais introduit le ver dans le fruit un jour où elle me gonflait le ballon avec ses reproches de mégère, comme quoi j'étais pas foutu de la faire vivre, que j'étais rien d'autre qu'un pique-assiette, un squatteur, et que le jour où elle m'avait causé pour la première fois, elle aurait mieux fait de se casser la jambe.

— T'as qu'à faire ton marché sur achètemoncul. com, je lui avais balancé.

— Bonne idée, ce sera pas dur de trouver mieux que toi, elle avait rétorqué.

Elle était vendeuse dans un magasin grandes tailles, mais ce n'est pas là que je l'ai rencontrée (bien que je chausse du 48). On s'est connus dans un café de la ville, un samedi soir de permission. Il était tard, elle s'est pointée avec deux copines, les cheveux blonds décolorés, des cernes marron façon vampire, un regard bleu pâle, maigre comme un couteau, les cannes qui tricotaient de fatigue, elle marchait droit sur le bar mais elle a trébuché et s'est affalée sur mes genoux.

Comment je pourrais expliquer ça? Elle ressemblait à une sauterelle avec ses chevilles de gamine et ses pupilles brûlées qui lui trouaient les yeux, j'ai senti mes tripes danser la samba, elle a mis sa main autour de mon cou et j'ai su – j'ai cru –, c'est elle, la fille de mes rêves, c'est bien elle.

— Oh pardon, beau militaire.

Elle avait vingt-six ans mais en faisait dix de moins, disons cinq momentanément à cause de l'ivresse qui lui fripait le visage, elle tortillait une mèche de cheveux en caressant ma chemise, je me suis demandé si c'est à ma carrure qu'elle avait identifié le troufion ou si c'était cette chemise, peut-être après tout qu'elle s'y connaissait en tenues militaires.

— Et comment que je te pardonne, ma jolie.

Avant Natalie — sans *h*, sur demande expresse de Madame —, il y avait eu des filles, et même des tas, de toutes les couleurs, de toutes les tailles, de tous les genres, des filles d'une semaine (avant l'armée) ou d'une heure (depuis que je m'étais engagé), des dizaines de dizaines, mais jamais je n'avais senti cette chenille qui me chatouillait la colonne vertébrale jusqu'à ce jour où elle s'est blottie contre moi.

J'ai posé mon bock, puis je l'ai portée en prenant soin de ne pas la bousculer, ses copines nous encadraient en gloussant, «On dirait une mariée», son maquillage coulait, déjà elle m'embrassait. Les choses sont arrivées de cette façon. On a passé la nuit ensemble, puis le dimanche, et à la fin du week-end elle m'a chuchoté Mike, viens vivre ici.

Je l'avais prévenue, s'installer avec un type comme moi, ça voulait pas dire grand-chose, je ne serais pas souvent là, elle devrait se débrouiller seule, mais elle s'en foutait — du moins c'est ce qu'elle prétendait —, elle m'avait embrassé encore et encore, avait papillonné des cils, susurré dans mon oreille, L'important, Mike, c'est le cœur qui bat, pas le temps de présence, et moi, aussitôt, j'ai foncé dans le panneau pire qu'un pied tendre.

La vérité, c'est qu'on aurait pu glisser n'importe quel bidasse dans mon treillis. La seule chose qui comptait pour elle, qui la faisait rêver, qui lui coupait le souffle, c'était l'uniforme et son bataillon de légendes. Bien sûr elle aimait ma carrure, mes pectoraux, ma manière de la soulever d'un doigt, mais ce qu'elle préférait c'était l'odeur de sang qui flottait sur mes mains au retour d'opération, le son persistant des déflagrations, les cris, les courses contre la mort, le grondement des blindés dans le col de ma veste, le sable et la poussière cachés dans mes godasses, elle disait aux copines, Regardez comme il est fort mon homme, il sauve le pays, il sert la patrie, elle reniflait mon torse pendant des heures pour en aspirer la violence tatouée.

Il n'y a pas de honte à l'avouer, j'étais fier. À chacun de mes retours elle m'attendait sur son trente et un. Elle allait chez le coiffeur se faire boucler les cheveux, puis se pointait sur le quai de la gare les lèvres dessinées au crayon, me sautait au cou en surveillant les regards autour de nous, Hein qu'on fait un beau couple mon Mike, hein? Regarde-les tous ces jaloux!

Je croyais sincèrement qu'elle m'aimait. Possible qu'elle le croyait aussi, les premiers mois, voire même la première année. Elle essuyait mon front, massait mes épaules, m'appelait son *fiancé*. J'essayais de lui raconter le champ de bataille dans ma tête, ça faisait déjà un moment que ça ne tournait pas rond, que je ne supportais plus les flicaillons du régiment qui font claquer le galon, les bouchers qui vous posent le cul sur un champ de mines antipersonnel parce qu'ils savent pas lire les notes de service, mais rien à faire, elle voulait pas m'entendre, elle m'interrompait, C'est quoi ces états d'âme Mike ?

Sa vision du monde était divisée en deux, les bons, les méchants, les forts, les faibles, pas question d'introduire une autre possibilité et pas question de pactiser avec l'ennemi.

J'ai pété les plombs au retour d'une Opex. C'était allé trop loin, des choses pas racontables, des trucs vraiment sales qu'on nous demandait d'oublier d'un claquement de doigt, rompez !

C'était pas ma conception de l'armée – ni de l'honneur, ni de l'engagement, ni de l'existence –, je l'ai fait savoir. Évidemment, ça a déplu aux chefs, sous-chefs et sur-chefs que je mette le doigt là où ça les grattait, là où ça puait la mort, alors pour toute réponse, ils ont fait pleuvoir les délicatesses, les journées de trou, les fouilles au corps, les corvées de chiottes, de la rafale de Minimi à bout portant histoire de me faire taire pour toujours, et c'est là que j'ai pris ma décision : qu'ils se le carrent, leur règlement, le devoir militaire, le service de la nation, je me casse, et puis quoi encore bande d'enculés.

Sur le quai de la gare, Natalie avait subodoré la mauvaise nouvelle, elle plissait le front, je l'ai assise sur le banc, Il faut que je te parle mon chat, il faut que tu saches, cet uniforme je veux plus le voir, prends-le, fais-en des torchons, fous-le à la benne, je n'y retournerai pas, ni lundi, ni mardi, ni jamais, ils ne me reverront plus ces ordures, je déserte.

Elle est restée silencieuse, son joli pied tremblait, puis elle s'est inquiétée. Déserter, Mike, c'est grave, c'est interdit, ils vont te rattraper, ils vont te punir, tu iras en prison, qu'est-ce qu'on va devenir?

Les convocations devant le juge, les gendarmes devant la porte, tout ça c'était du folklore, il n'y avait aucun danger, l'armée avait autre chose à foutre qu'envoyer ses troupes au cul des brebis galeuses, au pire ce serait une lettre ou deux.

Je l'ai prise par la main pour rentrer, mais déjà elle était distante et ça me bousillait le cœur, elle fixait le sol sans un mot tandis que je me justifiais, Je suis pas un criminel mon chat, les criminels, les tueurs, c'est eux!

Je croyais qu'elle nous laisserait le temps, qu'elle comprendrait, elle était censée être ma copine, ma moitié, ma femme en quelque sorte.

Elle n'a même pas essayé.

– Je suis déçue, Mike. Comment t'as pu me faire ça. Déserter. C'est la honte. J'ai honte.

Le soir même, elle m'a repoussé alors que je cherchais ses cuisses. Elle s'est retournée vers le mur,

102

grommelant encore et encore la même phrase, Comment t'as pu me faire ça Mike, comment?

Plus tard dans la nuit, je l'ai agrippée par les épaules, ça commençait à me courir qu'elle s'occupe exclusivement du qu'en-dira-t-on, une poussée de rage m'est montée à la tête, je l'ai secouée, Alors comme ça t'as honte ma belle, et pourquoi s'il te plaît, parce que j'ai pas baissé la tête, parce que j'ai pas bouffé mes couilles, parce que j'ai résisté? Mais tu sais quoi, Natalie sans *h*, j'en ai rien à foutre de parader avec un béret sur le crâne, rien à foutre de manier le Famas mieux que toi ta lime à ongles, j'ai l'intention de vivre, et jusqu'à preuve du contraire, de vivre avec toi!

J'ai dû lui faire mal, elle m'a jeté un regard bizarre et des larmes ont coulé sur ses joues, comme un âne j'ai cru que c'était l'émotion alors que c'était la fin, j'ai caressé ses cheveux, T'en fais pas ma beauté, je vais régler ça, je peux faire bien mieux que chair à canon, tu verras, tu le regretteras pas, tout ça s'arrangera, mais Natalie a continué à regretter et rien ne s'est arrangé. Pas un boulot à l'horizon, pas la moindre ouverture, j'étais pourtant prêt à tout étudier, après les boîtes de sécurité j'ai fait les boîtes de nuit, les restaurants, et même le camion de pizzas sur le parking du supermarché, mais c'était toujours non, non, non, non.

— Un type qu'a déserté, on peut pas lui faire confiance, m'a asséné le patron du tabac, juste à côté de la maison. On pense qu'il se débinera à la première difficulté. Si t'es pas capable de respecter la hiérarchie, faut être indépendant mon vieux...

Je me suis rabattu sur les marchés : j'aidais les commerçants à installer et ranger leurs étals et je nettoyais quand ils partaient.

— Voilà ce que t'es devenu, commentait Madame Mike. Un éboueur à temps partiel. Tu parles si ça fait envie.

Le matin, quand je ne travaillais pas, je la regardais se préparer avec soin. Je devenais jaloux.

— Tu crois que j'ai pas remarqué ton rouge à lèvres ? T'es vendeuse dans une boutique de vêtements ou dans un bar à putes ?

— Il faut bien que je mette les bouchées doubles, vu ce que tu rapportes à la maison.

Elle me considérait avec mépris. Elle rêvait de me foutre à la porte, mais elle n'osait pas, je lui faisais peur. Quand elle haussait un peu le ton, il suffisait que je me lève, que je plante mes yeux dans les siens comme deux crans d'arrêt : elle pâlissait et quittait la pièce.

Il lui a fallu du temps pour comprendre que de nous deux, elle était la plus forte. Le jour où elle l'a su, ce jour où elle m'a balancé de sa voix aigrelette, Je mérite mieux que toi, Mike, et que je me suis plié en deux comme si elle m'avait expédié un uppercut en plein foie parce que j'étais fou d'elle, amoureux à crever, parce que je sentais que c'était foutu, qu'il n'y aurait plus de main dans la mienne, de baisers sur ma peau, que tout ça n'était pas qu'un passage mais le coup de grâce, la clôture des comptes, le dépôt de bilan, ce jour-là c'est elle qui a planté ses yeux dans les miens et m'a montré la porte : À la fin de la semaine, Mike, je veux que t'aies dégagé d'ici.

Que penserais-tu de Monsieur Mike aujourd'hui, mon chat? Chef de la sécurité, ça a de la gueule, non? Le prestige, l'habit, la paye. Bon d'accord, pour la paye, il n'y a pas de miracle, c'est le premier barreau de l'échelle, mais j'ai le pied dessus, le reste c'est qu'une affaire de temps et de patience.

– Monsieur Mike?
On frappait à ma porte.
– Oui?
– Jean vous attend au rez-de-chaussée pour vous briefer. Il a des missions urgentes.
– J'arrive tout de suite.

Madame Mike ne me verra pas, c'est dommage. J'ai dans l'idée qu'elle est partie à Colmar avec un gars du 152ᵉ, longue vie à eux deux, je ne vais pas dire que je suis guéri, pas maintenant, seul devant le miroir et devant Dieu s'il existe, la vérité c'est que j'en rêve encore la nuit, mais ça ne fait plus mal comme avant, je suis passé de la haine à l'amertume, c'est le principal, et puis je ne suis pas près de m'y faire prendre à nouveau, l'amour je laisse ça aux naïfs, je me contente de la gaudriole.

Dans l'immédiat, je n'avais plus qu'un souci : réussir à faire le nœud de la cravate que Jean avait ajoutée au costume.

Mariette

— Prenez le temps de vous installer tranquillement, a indiqué Jean en me montrant ma chambre. Je vous attends dans mon bureau.

L'Atelier était proche du collège : nous l'avions longé pour y arriver. C'était au moment de l'interclasse, des élèves étaient sortis devant la porte pour fumer et discuter. Ma poitrine s'est serrée lorsque j'ai aperçu la mèche blonde de Zébranski.

Ainsi, il était revenu. Il portait le menton haut, bougeait avec une aisance de rapace, soumettant les autres d'un regard, d'un pied conquérant posé sur une marche. La sueur a coulé sur mes tempes, ma respiration s'est encombrée, j'ai prié pour qu'il ne me voie pas, Plus vite! ai-je crié au chauffeur.

— Eh bien, Mariette, ça ne va pas? s'est inquiété

Jean. Je ne vous pensais pas si fébrile : on dirait que nous avons du pain sur la planche.

Nous avons terminé le trajet sans échanger un mot, chacun perdu dans ses pensées. En arrivant à l'Atelier, Jean m'a présenté Sylvie, sa secrétaire, quelques bénévoles et Monsieur Mike, le chef de la sécurité, un grand type en armoire à glace à qui il ne manquait qu'une paire de lunettes noires pour tourner dans un film d'espionnage.

Puis il m'a conduite jusqu'à cette chambre, une pièce spacieuse aux murs bleu pâle et aux meubles blancs, décorée d'une immense pendule ancienne.

Je me suis allongée un long moment, les yeux rivés au plafond – il fallait ça pour se vider, éliminer les scories. Lorsque je suis redescendue, il m'attendait, un grand bloc de papier blanc posé devant lui.

– Eh bien voilà, Mariette, nous y sommes : c'est le moment d'exprimer ce que vous avez sur le cœur, ce qui pèse, ce qui enfonce, ce qui fracasse et ce qui empêche, remontons à la source, penchons-nous sur l'origine.

Il semblait sûr de lui, comme s'il parlait d'une méthode éprouvée. Mais comment pouvait-il imaginer que je me livre aussi vite ?

– Parler, Mariette, c'est la seule manière d'avancer.

– Je ne peux pas, Jean, je n'y arriverai pas, je crois que c'est trop tard.

Cela fait si longtemps que je me tais. Ou plutôt que je mens. Je suis allée trop loin dans l'armure. J'ai construit une façade si lisse, imperméable, j'ai raconté tant de fois l'histoire exemplaire d'une femme comblée par une enfance et une adolescence heureuses, des parents bienveillants qui vous conduisent à un mariage parfait, des enfants bien élevés et un métier épanouissant. Ne jamais se plaindre, ne rien laisser filtrer, retenir l'émotion jusqu'à la fracture, voilà à quoi j'ai employé mes forces : c'est trop tard. Je ne peux plus revenir en arrière, modifier les paramètres, rectifier le tir, on dira que j'invente, que c'est la preuve de ma folie ou celle de mes talents de comédienne.

Si seulement j'avais parlé dès les premières douleurs, mais voilà, j'ai laissé mes parents me tuer, me balancer au fond du trou puis jeter des pelletées de terre pour déguiser leur crime, j'ai regardé la boue s'accumuler et couvrir les péchés, je n'ai pas réagi, j'avais dix-sept ans, j'étais presque une femme ! Et pourtant je me suis tue, j'ai accepté la sentence, j'ai scellé ma vie avec celle de l'enfant.

– Il n'est jamais trop tard, Mariette. Il faut dépasser sa peur, à force de laisser le temps s'écouler, on se sent impuissant, on devient fataliste, on se croit fichu alors qu'il suffit d'un déclic, un rien parfois, une image, un souvenir, parfois même d'un seul mot ?

Vous pouvez encore changer d'avis, avait plaidé le jeune médecin face à moi, il suffit d'un seul mot. Vous serez bientôt majeure, et même si ce n'était pas le cas, vous êtes la seule à pouvoir décider, arrêtez de pleurer ma petite, je vous en prie, je vois bien que vous n'êtes pas prête, une décision pareille c'est lourd à dix-sept ans, moi je crois que vous le voulez ce bébé, et le père, qu'est-ce qu'il en pense le père ?

Le père ? Vous l'avez entendu, docteur ? Il dit que je dois avorter.

Mariette, voyons, je parle du père de l'enfant, pas du vôtre.

– Ça ne va pas Mariette ? Vos yeux brillent…

– Ce n'est rien, Jean. Probablement le pollen, la poussière. Je suis allergique à tant de choses…

À sept semaines, le cœur se niche dans la cage thoracique et se met à battre avec force, ils ont arraché le bébé, ils ont arraché son cœur et le mien, quant à celui du *père*, qui sait ? Son père à lui, serrant la main du mien – et prenant son argent –, l'a conduit à la porte d'un avion, Rentre au pays mon fils et fais ta vie là-bas. C'est peut-être pour ça que j'ai accepté, il était parti, j'étais seule, je n'ai pas su me rebeller, pourtant nous n'étions plus dans les années cinquante, les femmes n'étaient plus tenues d'obéir à leurs maris et leurs pères, alors pourquoi,

pourquoi ai-je accepté de signer ce papier ce jour-là ?
Pourquoi ai-je renoncé ?

– Ils ont choisi à ma place. Ils avançaient que
j'étais trop jeune. Que je manquais de jugement.
Ils ont dit qu'on n'en parlerait plus jamais. Que le
temps passerait, et que j'oublierais.
– Mon Dieu, je comprends mieux. La voilà
l'origine du mal. La blessure.

Maintenant, vous devez reprendre la main,
décider seule de votre vie. Tout est clair. Inutile de
me donner des détails, non, n'en dites pas plus, vous
avez fait le premier pas en confiant l'essentiel, un
jour peut-être vous me raconterez, si vous le sou-
haitez, si vous le sentez, pour l'heure c'est suffisant
n'est-ce pas ?
Votre dépression – coup de fatigue, ras-le-bol,
chute, *burn-out*, appelez cela comme vous voudrez –
n'est pas une manière d'abandonner la partie, au
contraire, c'est votre façon de la relancer sur de nouvelles bases, vous voulez reprendre les commandes !

– Si c'était aussi simple que ça, ai-je soupiré. S'il
suffisait de dire Stop, ça suffit les gars, on modifie
l'aiguillage, je reprends mes droits et vous vos
devoirs… S'il suffisait de décider…
– Bien sûr, vous n'y croyez pas, a rétorqué Jean.
C'est classique. Comment en serait-il autrement.
Regardez-vous dans cette glace et dites-moi,

qu'éprouvez-vous d'autre que du mépris ? Vous avez cessé de vous aimer depuis si longtemps, vous vous jugez faible, lâche, vous vous sentez misérable. Eh bien je vous le demande, accordez-vous un peu plus d'indulgence, Mariette. Vous verrez que tout peut changer.

Je pensais, en l'écoutant, Cet homme doit lire les rubriques psychologie des magazines féminins et croire à leurs promesses, il est plein de bonnes intentions, d'enthousiasme, mais incapable de réaliser qu'il ne suffit pas d'identifier un problème pour le résoudre. Il est comme ces psychanalystes qui mettent le doigt sur vos nœuds, appuient très fort puis vous écoutent une demi-heure trois fois par semaine pendant dix ans à prix d'or, et quoi ? Au bout du compte, ces nœuds, vous en connaissez chaque fibre, chaque contour, chaque dessin, chaque marque d'usure, mais vous n'en avez pas dénoué un fil, au contraire, vous finissez par en mesurer la solidité, l'irréversibilité et ce constat vous amène à consulter le même psychanalyste les dix années suivantes, imbibée d'antidépresseurs : des mots, toujours des mots.

— Ce que je vous propose, c'est un contrat, a poursuivi Jean. Donnez-moi un mois, un mois durant lequel vous suivrez mes recommandations sans réserve. Un mois pour essayer à ma manière de vous remettre d'aplomb.

Nous ferons la liste de vos regrets, celle de vos peurs, celle de vos espoirs. Nous fixerons des objectifs ensemble. Un mois, ce n'est pas un pari très risqué. Je vous promets qu'ensuite, tout vous semblera changé. Quatre semaines pour vous faire aimer à nouveau l'existence, qu'en dites-vous?

C'était un marché impossible à refuser – même si la liste des regrets promettait d'être longue et douloureuse, à commencer par mon mariage, dont la décision avait été expédiée en quelques phrases. Charles faisait une telle unanimité.

– Ne réfléchis pas, m'avait suppliée Judith alors que je m'interrogeais, quelques jours après qu'il m'avait fait sa demande, crois-tu sérieusement qu'un homme aussi beau, brillant, plein d'avenir, t'attende à tous les coins de rue? Ne le laisse pas passer, tu n'auras pas deux fois une occasion pareille.

– Quand on pense à ce qu'aurait pu être ta vie, si nous n'étions pas intervenus, avait ajouté ma mère, mais nous avons tenu bon, Dieu merci, et le voilà, l'homme idéal, à tes pieds!

– Il est peut-être un peu tôt pour statuer quant à l'homme idéal.

– Ah oui? Parce que tu ne l'aimes pas? Eh bien, première nouvelle!

– Ce n'est pas ce que j'ai dit.

– Alors épouse-le et n'en parlons plus! De toute façon, le grand amour n'est qu'un fantasme.

Judith prétend que l'amour est un arrangement, une relation commerciale, chacun vend sa camelote, tout le reste n'est qu'hypocrisie.

Je pense que l'amour est une lumière, je l'ai vérifié, constaté, l'amour a éclairé ma vie environ dix-huit mois, j'ai vu apparaître tout ce qui m'était caché jusque-là, j'ai su qu'il n'existait pas de sentiment supérieur. Lorsqu'il a disparu, tout est devenu plus terne qu'un automne sans fin. Je peux le dire aujourd'hui : l'amour mort vous terrasse et vous cimente le cœur.

Le temps s'était amélioré depuis le jour de l'accident, que j'avais nommé jour Z, comme Zéro, Zombie et Zébranski. Le ciel s'était éclairci, des groupes d'oiseaux filaient dans un joyeux désordre. Chaque jour, Jean m'accompagnait en promenade. Il connaissait des passages cachés, des ruelles désertes, des façades tourmentées, des squares imprévisibles dont il me racontait l'histoire. Avec lui, je parvenais à fuir les pensées sombres, à repousser les crises d'angoisse. Chaque jour, j'appréciais un peu plus nos échanges, émue de son intérêt. Il réclamait des détails, des anecdotes, multipliait les questions.

— Et ce garçon, ce Zébranski, l'aviez-vous déjà eu dans une autre classe ? Sur qui s'appuie-t-il ? Il a sans doute un clan de proches, ces graines de petites frappes sont souvent lâches, ils se déplacent avec une cour, racontez-moi, comment s'organisent-ils ? Le proviseur vous a-t-il soutenue ? Quels sont vos plus proches collègues ? Quant à vos fils, avez-vous fixé des règles avec leur père ? Vous aident-ils au quotidien ? Rangent-ils au moins leurs chambres ?

Jamais il ne m'interrompait, encore moins ne bâillait comme le faisait systématiquement Charles lorsque je me risquais à évoquer mes soucis.

Peu de temps avant l'affaire Zébranski, il avait eu à mon égard des mots particulièrement cruels.

— Ce sont des états d'âme de bonne femme. Tu vieillis mal, c'est tout ! Enfin regarde-toi chérie, tu n'as plus vingt ans, c'est une réalité, tu voudrais que je te dise le contraire, que je te mente, c'est ça que tu aimerais, faire comme si ? Est-ce qu'on ne s'est pas promis de ne jamais rien se cacher ? La vérité, Mariette, c'est que tu te laisses aller, tu te transformes en ménagère, en dadame à cabas, tu n'as plus aucune confiance en toi, résultat même un gosse de quatorze ans peut te mettre à genoux, mais comment veux-tu avoir une quelconque autorité avec une allure pareille ? Par pitié Mariette, cesse de t'apitoyer et de mettre la faute sur le dos des autres, fais un régime, du Botox, du laser, du Pilates, enfin fais ce que tu veux mais redeviens présentable, arrête de te plaindre et ne m'emmerde plus avec ces conneries !

Il était si dur.

— Les hommes ont parfois de drôles de manières d'aimer, dédramatisait Jean. Votre mari est un homme politique obsédé par l'image, il aimerait que la photo ne vieillisse pas, mais il a tort, la beauté se nourrit du temps qui passe. En revanche, il y a quelque chose de vrai dans ses attaques. Il faut redresser la tête pour obtenir le respect. Croire en sa puissance pour obtenir la discipline. Et vous y parviendrez. Laissez glisser ses critiques, n'en tenez plus compte, dites-vous que c'est son problème, sa vision. Lorsque vous l'écoutez, c'est comme si vous chaussiez les lunettes d'un autre. Vous ne voyez qu'une réalité déformée, la sienne.

Je n'avais plus ressenti un tel bien-être depuis si longtemps – jusqu'à me réveiller avec un sourire flottant sur les lèvres, presque heureuse de la journée qui s'annonçait. Lorsque nous ne parlions pas de moi, j'essayais d'en savoir plus sur les autres aidés – c'était ainsi que Jean nommait ceux qui bénéficiaient des services de l'Atelier. Un certain nombre d'entre eux étaient des exclus, des déclassés, que Jean tentait de réinsérer en leur trouvant un travail, en les formant. Il avait ce pouvoir étonnant de rendre les gens forts et confiants.

Une nuit, j'avais eu l'idée d'une contribution : un cours de culture générale, une remise à niveau qui leur permettrait d'évoluer plus facilement en société. Je m'étais précipitée pour lui en parler dès le matin.

– C'est une excellente idée, Mariette! J'achète! Ici, vous n'aurez que des élèves passionnés et respectueux. Je mettrai la salle à votre disposition une fois par semaine – dès que vous serez opérationnelle.

La perspective d'intégrer l'Atelier en tant que bénévole, et non plus en tant qu'aidée, me galvanisait. Je réfléchissais déjà à l'architecture de mes cours, je noircissais des cahiers de thèmes à aborder.

Parfois bien sûr, j'avais une pensée tendre pour mes fils. À la demande de Jean, je n'avais pas pris contact avec eux depuis mon arrivée, pas plus qu'avec Charles, qu'il jugeait préférable de tenir à distance. Force était de constater qu'ils ne me manquaient pas : je me contentais de vivre l'instant présent avec une délectation croissante.

Les jours se sont succédé, huit, dix, douze. Puis un matin, tandis que je lisais les journaux installée dans le canapé du hall, Jean s'est approché un dossier à la main, m'a complimentée sur mon air reposé et mon teint frais, s'est assis en face de moi, et a pris son souffle comme un plongeur avant la descente.

– Eh bien voilà, Mariette, le moment approche de quitter votre chambre et surtout de reprendre votre vie de femme, de mère et d'enseignante. Nous devons nous organiser pour préparer votre retour.

Un plafond gris s'est écrasé sur mes épaules tandis qu'il poursuivait, presque précipité, Vous connaissiez les données, souvenez-vous de notre contrat, bien sûr vous avez peur, vous espériez sans doute rester plus longtemps avec nous, on a toujours du mal à abandonner ce qui nous fait du bien, pourtant vous allez le faire Mariette, parce qu'il est nécessaire de confronter vos progrès à la réalité du monde, et je sais que vous êtes prête.

Je me suis sentie prise d'un vertige. Vous n'êtes pas sérieux, Jean ? Vous me demandez de partir sans autre forme de procès, vous me renvoyez à ma vie d'avant exactement comme le médecin du Centre de santé mentale a voulu le faire avant vous, vous me congédiez de la même manière, vous qui faisiez mine de comprendre ! *Vous savez que je suis prête !* Y a-t-il une liste d'attente chez vous aussi ? Mais enfin, vous ne comprenez pas que je suis si bien justement parce que je suis *ici* ! Ici et maintenant ! Je ne veux pas partir, pas aussi vite !

Une fraction de seconde, son visage s'est durci, j'ai cru voir un autre homme, granitique, féroce, mais aussitôt il s'est détendu et m'a tapoté le dos de la main.

– Je comprends votre inquiétude, Mariette. C'est une réaction normale. Dès l'instant où vous êtes arrivée, nous savions tous les deux que vous auriez du mal à quitter l'Atelier. Cependant vous vous trompez dans votre analyse. Je vous garantis que vous saurez affronter les autres. Vous avez pris de l'assurance, vous avez appris de vous-même, vous êtes bien plus solide que vous ne l'imaginez. Il ne vous manque plus qu'une chose, c'est la conscience de cette évolution, mais cela, c'est imminent. J'ai confirmé à votre psychiatre que vous étiez en état de reprendre les cours lundi prochain. Vous revenez dans le circuit, Mariette. Et vous verrez que tout ira bien, vous le constaterez dès votre retour chez vous – vous n'en croyez pas un mot aujourd'hui, mais vous devrez vous rendre à l'évidence. Nous nous retrouverons à la fin de la prochaine quinzaine et vous me ferez un premier bilan. Alors, il sera temps de confirmer – ou pas, selon votre souhait – votre engagement dans des cours bénévoles.

J'étais tétanisée. Ainsi, mon cas était réglé, la décision était prise ! J'aurais imaginé qu'on en discuterait, qu'on échangerait, bien sûr je me souvenais du contrat, *un mois* avait-il dit, il aurait pu préciser que les deux dernières semaines se joueraient hors de l'Atelier ! Mais me bazarder ainsi, sans appel, sans négociation !

Il s'est levé.

– Eh bien Mariette, que pensez-vous d'une dernière promenade ?

Comme si de rien n'était.

Aucun mot ne daignant sortir de ma bouche, j'ai enfilé ma veste et je l'ai suivi dehors.

MILLIE

Je m'étais préparée longuement à cet entretien. Physiquement, en allant et venant sur mes talons, en surveillant les mouvements de ma jupe lorsque je m'asseyais, l'inclinaison de mon buste, la position de mes mains, en relevant la tête face à un interlocuteur imaginaire.

Mentalement aussi, en m'essayant à un sourire assuré, en répétant des mots clé, force, énergie, sécurité, puissance, combat, succès. J'avais puisé dans mes souvenirs les plus anciens, avant la tragédie, lorsque j'étais cette petite fille confiante et gaie devant laquelle on s'extasiait, qu'on enviait, Qu'elle est mignonne, et cette aisance, elle ira loin, c'est certain!

Ce n'était pas facile : les images étaient floues, étrangères, les sensations avaient disparu, je doutais – je n'y arriverais pas, j'allais me trahir –, je m'exhortais à prendre de la consistance, à trouver des ressources, surtout ne pas rechuter, ne pas glisser, rester centrée sur l'*autre vie*; j'avais peur.

Mais en arrivant chez Robertson & Sons, alors que je cherchais à me diriger dans le vaste hall, un jeune homme m'a arrêtée. Je peux vous aider charmante demoiselle?

D'autres filles auraient passé leur chemin sans relever ou bien elles auraient ricané, charmante demoiselle, c'était désuet ou dragueur selon l'humeur. Moi, j'ai sursauté : ainsi, je n'étais plus transparente? Mieux encore, on me trouvait *charmante*?

J'ai hésité un instant, tentée de me retourner, est-ce qu'encore une fois je prenais pour moi des mots adressés à une autre?

Mais non voyons, cela ne pouvait plus arriver, plus maintenant, ce genre de confusion était réservée à Millie, sûrement pas à Zelda, Voilà, ai-je pensé, c'est le premier signe, ténu mais réel, le signe que la transformation opère, le signe que j'existe.

– J'ai rendez-vous avec M. Robertson.

– Avec Dieu en personne alors?

Le jeune homme a ri de ma stupeur, Détendez-vous, je ne voulais pas vous choquer, ce n'était pas irrévérencieux, tout le monde ici l'appelle Papa Dieu, d'ailleurs laissez-moi vous dire qu'il le sait et que cela ne lui déplaît pas. Prenez l'ascenseur en face de vous, vous le trouverez au deuxième étage.

Puis il m'a lancé un clin d'œil et s'est engouffré dans un escalier.

121

Robertson était un bel homme aux traits réguliers, la soixantaine. Dès que j'ai pénétré dans son bureau, j'ai compris d'où lui venait ce surnom : sa manière d'occuper l'espace, son timbre grave, son débit posé et, surtout, son regard clair, droit, comme une épée tranchante prête à vous dépecer.

— Ainsi c'est notre fameuse Zelda Marin. Jean vous a dit que je cherchais une assistante export, n'est-ce pas ? Ce n'est peut-être pas ce qui vous correspond le mieux, mais c'est ce que je peux vous offrir aujourd'hui.

Je le sentais surtout intrigué, fasciné, presque intimidé – Jean m'avait présentée comme une survivante doublée d'une amnésique –, et le voyant ainsi penché, comme s'il voulait m'approcher, me toucher presque, je ne pouvais m'empêcher de songer qu'il était finalement assez facile de duper Dieu.

— Bien sûr, a-t-il poursuivi, si vous donnez satisfaction, je serai ravi de vous faire évoluer. Votre situation particulière m'oblige à vous mettre, en quelque sorte, en observation.

Le terme d'assistante export recouvrait la réalité banale d'une secrétaire polyvalente, autrement dit capable de prendre en charge une grande partie du travail de son supérieur hiérarchique tout en abattant une somme considérable de tâches subalternes et ennuyeuses. Je connaissais bien ce type de poste, puisque c'était celui que j'occupais la plupart du temps jusqu'à mon accident. Mais la comparaison s'arrêtait là : Robertson m'offrait un salaire nettement supérieur à ce que j'avais connu précédemment, et les conditions de travail (horaires souples, avantages en nature) étaient excellentes. Il était évident que je bénéficiais d'un traitement personnalisé et qu'il me suffirait sans doute d'être adroite pour en obtenir plus encore.

Je me suis empressée de signer : de Robertson ou de moi, j'ignore qui avait le sentiment d'avoir réalisé la meilleure affaire. Il m'a serré la main avec vigueur et m'a reconduite à l'ascenseur.

— Eh bien, m'a lancé Jean le soir même, c'était bien la peine de jouer la difficile… Vous êtes une enfant gâtée. J'espère qu'à l'avenir, vous vous contenterez de me faire confiance. Mais oublions cela, c'est sans importance, nous avons mieux à faire. Nous allons fêter cette signature en famille.

En famille. Je veux dire, Zelda, avec nous, l'Atelier, puisque vous n'avez ni ami, ni parents, du moins pas que l'on sache. Mais nous avons tous besoin d'un cercle, même restreint, c'est humain. Savez-vous que les gens seuls meurent plus tôt? Ils meurent de n'avoir pas d'échange. Ils meurent de ne rien dire. Ils ne demandent rien, on ne leur donne rien, alors ils meurent – et on est impuissant.

Il avait prononcé ces trois derniers mots le regard flou, le verbe amer, comme s'il ne s'adressait soudain plus à moi mais à un auditoire invisible, C'est ainsi, a-t-il poursuivi, ils meurent mais il n'y a ni procès, ni poursuite, puisque le coupable n'est autre que le silence.

Je l'ai interrompu, Jean, je vous assure que je n'ai aucune intention de mourir, figurez-vous ! J'espère bien a-t-il rétorqué, de toute façon nous avons juré de vous protéger.

Une table à tréteaux avait été dressée au milieu du hall. Une dizaine de personnes étaient présentes, parmi lesquelles Sylvie, l'assistante, et Monsieur Mike, qui se tenait légèrement en retrait. Il y avait aussi la locataire de la chambre bleue, une femme d'une quarantaine d'années aux cheveux courts, que j'avais déjà croisée à plusieurs reprises à l'étage.

Jean a demandé le silence, puis entamé un discours sur un ton solennel.

— Mes amis, nous sommes réunis aujourd'hui pour fêter le contrat de travail signé par Zelda. Ce n'est que la première marche de son escalier personnel, mais c'est peut-être la plus importante, car c'est celle qui lui donne accès à l'indépendance. Elle est désormais à même de diriger sa vie et de tisser la trame de son épanouissement. Chers amis, le cas unique, exemplaire de cette jeune femme, qui a tout perdu dans l'effacement de sa mémoire, nous démontre, s'il en était besoin, que tout est possible lorsque l'intention est là. L'intention, c'est cette volonté extrême de vivre, au sens le plus fort du terme. Vivre en pleine conscience de chaque instant, de chaque élément qui nous entoure ou nous gouverne. Vivre en pleine confiance également, confiance en l'avenir, confiance en l'autre, confiance en la possibilité du bonheur. Zelda a frôlé la mort, elle a frôlé le néant. Elle est mieux placée que quiconque ici pour expérimenter la puissance de cette intention. Ce ne sera pas toujours facile, elle traversera des moments de doute, mais si l'intention demeure, elle aura raison de tous les obstacles.

Il s'est tourné vers moi, a tendu son verre.

– Zelda, je veux vous dire mon admiration. Je sais combien celui qui oublie tout de son passé oublie aussi tout des apprentissages essentiels. Vous allez vous heurter, vous blesser parfois. Mais nous serons là pour vous accompagner sur ce chemin, et parce que vous ne serez pas seule, vous réussirez. C'est notre raison d'être à tous, bénévoles et permanents de l'Atelier. Zelda, nous trinquons à votre avenir, nous trinquons à la vie!

Tous se sont pressés autour de moi, m'observant, m'embrassant, laissant fuser les commentaires qu'ils retenaient par pudeur depuis mon arrivée, posant mille questions sur mon amnésie, alors Zelda, avez-vous des réminiscences, des flashes, des rêves?

J'étais oppressée. J'aurais pourtant rêvé me détendre, profiter de leur chaleur, mais il fallait plus que jamais surveiller mes propos et faire taire cette sensation qui enflait à nouveau d'être une voleuse, je volais leur attention, leur temps, leur générosité, je continuais à les tromper sur la marchandise, cet emploi ce n'était pas à moi de l'occuper, ces conditions exceptionnelles m'étaient octroyées sur un mensonge, je ne valais pas mieux que ces sales types qui faisaient régulièrement la une des journaux en détournant les fonds d'associations caritatives, j'étais un monstre accompli !

La tête m'a soudain tourné, mes jambes ont joué l'accordéon, ma main a lâché la flûte en plastique et mon corps s'est effondré. Cela n'a duré qu'une seconde, le noir, puis la lumière, déjà je me réveillais dans les bras de Monsieur Mike, Bien joué mon vieux, beau réflexe ! l'a félicité Jean.

Monsieur Mike m'a déposée délicatement sur le grand canapé beige réservé aux visiteurs. Il avait un regard mélangé, confus, j'ai bredouillé, Je suis désolée, vraiment désolée, c'est l'émotion et le champagne, c'est la première fois que j'en bois, enfin je ne sais plus, je ne sais pas, Monsieur Mike a bredouillé à son tour, Ne vous en faites pas, ce genre de choses arrive, et il est allé me chercher un linge humide pour me rafraîchir.

Ce soir-là je me suis apostrophée devant le miroir, Ça ne peut pas durer éternellement ce balancier dans ta tête Millie, les états d'âme vains, il va falloir choisir une fois pour toutes entre remords et regrets, assumer ta décision, la faire pleine et entière, l'appliquer et t'y tenir.

Ce soir-là, j'ai enfin mis un mot sur ce boulet de plomb qui m'empêchait d'avancer encore et encore, ma *culpabilité*, coupable j'avais été autrefois de n'avoir pas su éviter le drame, coupable j'étais maintenant de mentir par omission, Millie ou Zelda quelle importance, j'étais condamnée à porter ma faute.

Je suis restée éveillée la nuit entière. Au petit matin, j'avais conclu : plutôt des remords que des regrets. Quant à la culpabilité, puisqu'elle était inscrite en moi comme une maladie avec laquelle on doit vivre, je l'accepterais, je l'enfouirais en tentant d'oublier ses assauts.

Monsieur Mike

Il avait eu beau insister, pas question que je l'appelle par son prénom. C'était mon patron et j'ai une certaine idée de la hiérarchie : ce n'est pas pour rien que je me suis engagé dans l'armée autrefois, même si j'y ai constaté qu'on peut occuper le haut de l'échelle et être pourri jusqu'à la moelle. Peut-être bien que ça me rassure de savoir que j'ai une mission et des comptes à rendre à quelqu'un qui m'a choisi. Bref, Jean, c'était rigoureusement impossible, tout comme Monsieur Jean – ça aurait établi un genre de comparaison entre nous –, j'ai donc décidé de l'appeler M. Hart, après tout c'était son nom de famille. J'ai également cessé de le tutoyer le jour où j'ai emménagé à l'Atelier.

– Monsieur Mike ?

– Oui ?

— Rafraîchissez-vous, je sais que vous en avez besoin.

Du doigt, il a poussé une canette de bière sur la table. Ou ce gars était fou, ou il me testait.

— Merci, ça ira.

— Prenez-la, je sais que vous en mourez d'envie. Il n'y a aucun piège là-dedans.

Ma parole, il lisait dans mes pensées! La canette me faisait les yeux doux pire qu'une infirmière des cœurs dans les rues de N'Djamena.

— Dans la vie, mon cher, tout est question d'équilibre — pour la bière comme pour le reste. Je suis certain que vous saurez le trouver. Vous ne prenez pas le volant aujourd'hui, à ce que je sache?

J'ai attrapé la greluche et avalé une lampée, il y avait des limites à la tentation.

— Bien. Il est temps de vous expliquer plus en détail ce que j'attends de vous, a repris mon bienfaiteur. Voyez-vous, il n'est pas si simple d'aider les autres. Il m'arrive d'être confronté à un manque d'écoute, ou même à un entêtement de la part de mes interlocuteurs qui ne voient pas toujours où se trouve leur intérêt — qu'il s'agisse de nos aidés ou de leur entourage. Lorsque j'étais plus jeune, je pensais que parler suffisait à être entendu. Je comptais sur mon pouvoir de conviction. Hélas, la communication entre les êtres humains a ses limites : peu de gens sont capables de se remettre en question sans — pardonnez-moi l'expression — un bon coup de pied au cul. Il faut leur ouvrir la voie. Déblayer, préparer le terrain, et souvent même leur forcer quelque peu la main lorsqu'ils manquent de confiance. Eh bien, c'est là que vous interviendrez, mon ami. J'expliquerai, j'échangerai, je démontrerai le bien-fondé d'une démarche et ensuite, s'il arrive que j'aie du mal à me faire comprendre, vous ferez en sorte que mes demandes soient exécutées. Autrement dit, là où je rencontrerai des doutes, des difficultés, des blocages, là où j'essuierai des refus de coopérer, vous irez, et vous réglerez le problème.

— De quelle manière ?

— C'est à vous de voir. Je ne vous fixerai qu'une obligation de résultat. Mais soyez sans crainte : découpé comme vous l'êtes et avec votre passé de militaire, il vous suffira sans doute d'être vous-même pour obtenir gain de cause.

Il a soupiré avant de poursuivre.

— Je me heurte si souvent à des murs… Je perds un temps fou à débattre ! Les pires, ce sont ceux qui s'interposent. Ceux qui ne supportent pas de voir leurs proches se reconstruire après telle ou telle épreuve. Eh oui Monsieur Mike : on peut prendre plaisir à laisser son mari, sa sœur, son ami s'enfoncer. Par jalousie, par frustration, par besoin d'exister. Avec ceux-là, il faut pouvoir s'imposer, ne pas laisser d'alternative. Mais freluquet comme je suis… face à ces gens, je deviens quantité négligeable. Tandis que pour vous… C'est une simple question d'apparence, vous comprenez ?

Si je comprenais. La force et l'apparence, les deux murs porteurs de mon existence depuis l'enfance.

Première leçon dans la cour de l'école, où des chiées de gosses déchaînés se bidonnaient quand ma grand-mère se pointait à quatre heures. Elle était vieille et grosse, elle portait des imprimés à fleurs qui lui allaient comme un casque à un lapin et une tiolée de bigoudis dans les cheveux, n'empêche qu'à chaque sortie elle me serrait contre elle comme si elle avait eu peur de ne jamais me revoir, et cette sensation-là, je m'en souviens encore aujourd'hui, c'est ce qui me console quand j'ai envie de crever.

Elle faisait semblant de ne pas entendre les piques, de ne pas remarquer les grappes de mères qui s'écartaient sur son passage, le soir elle me demandait pardon, Je veux pas te faire honte mon Michel, qu'est-ce que tu veux, on a l'âge de ses artères.

Je me retournais dans mon lit, je frappais le mur en serrant les poings pour m'entraîner à cogner, mais tout ce que j'obtenais c'était des doigts en charpie et une calotte du grand-père pour avoir salopé le papier peint. J'étais petit, fluet, y avait rien que je puisse faire contre ça, le pire c'est qu'à force, oui, j'avais honte, et après j'avais honte d'avoir honte, ce qui n'est pas le meilleur moyen de s'épanouir en tant que gosse.

Leçon numéro deux, Madame Mike et l'uniforme. Je pourrais dire Madame Mike, la boulangère, le facteur, le patron du bar, les flics même, ils s'inclinaient avec respect, surtout quand je revenais d'Opex et si en plus c'était l'Afgha, là c'est tout juste s'ils me baisaient pas la main comme si j'étais le petit Jésus. La suite on la connaît, du jour au lendemain je valais plus que dalle et pourtant, c'était bien le même type à l'intérieur ?

Leçon numéro trois, le porche, le farfadet et la cour de miracles. Là où le rapport poids/taille graisse/muscle définit l'emplacement sur l'échelle du pouvoir.

Alors oui, je comprenais la musique. J'allais remplacer le treillis par le costume-cravate, redresser les épaules et roule ma poule, si t'as des objections, je te souhaite qu'elles soient fondées.

– Parfait. Vous aurez une liste d'intervention dès ce matin. Et puis, il y a ce cas particulier, a repris M. Hart. La petite Zelda.

La Petite. Frêle et fine comme Madame Mike, tombée dans mes bras avec la même allure de biche égarée, attention, l'une était cuite, l'autre émue, ça fait une différence, mais si je suis honnête, ce qui compte c'est que l'incident m'a retourné le sang.

– Avec son amnésie, elle risque de commettre des erreurs de jugement. Je me demande comment elle va s'intégrer dans cette boîte, Robertson est un ami mais enfin, il a autre chose à faire que surveiller une assistante. Rapprochez-vous d'elle, étudiez son entourage, voyez si elle rencontre des difficultés. En un mot, protégez-la, mais avec discrétion : elle a besoin de se sentir libre.

Puisqu'elle a tout oublié, elle ignore probablement la nature des dangers qui l'attendent, les conflits, les jalousies, elle sera facile à déstabiliser. Elle est seule au monde, il faut la rassurer, qu'elle se sente appuyée. Soyons franc, c'est une tâche délicate qui exige du doigté, de la diplomatie, je ne suis pas certain au fond que vous réussissiez, si je fais appel à vous c'est qu'en tant que responsable de la sécurité, vous serez le plus légitime à poser des questions. Mais dites-moi franchement, Monsieur Mike, vous sentez-vous capable d'aider Zelda ? Je préfère vous prévenir : je ne tolérerai pas l'échec sur cette mission.

— Monsieur, quand on a réussi à se faire accepter par une population qui voit l'armée comme un envahisseur et la binouze comme un péché capital, on a une certaine expérience de l'approche tactique.

— Parfait. Alors c'est le moment de la mettre en œuvre.

J'ai éclusé ce qui restait de la canette et pris le dossier qu'il me tendait. Il souriait.

— Je suis confiant, Monsieur Mike, très confiant. Allons, ne perdez pas de temps, il y a dans ces papiers quelques urgences.

J'ai levé les yeux, juste au-dessus de lui un calendrier indiquait la date. Il n'y avait pas un mois, j'étais encore sous mon porche. La vie pouvait être surprenante.

MARIETTE

Malgré les dénégations de Jean, je jugeais sombre le bilan de ces dernières semaines. J'avais admis combien ma famille s'était montrée bancale, injuste et toxique, qu'il s'agisse de mes parents, de mon mari ou de mes fils. J'avais constaté ma faiblesse, mon incapacité à décider aux moments clé de mon existence et, pour finir, alors que je commençais seulement à digérer mon analyse, celui qui prétendait m'aider me mettait dehors.

Tandis que le taxi roulait vers la maison, je songeais avec amertume qu'il me faudrait trouver désormais le moyen d'accepter l'échec, de me désengager des émotions et des désirs qui n'avaient jamais fait que me décevoir et me déconstruire.

Je contemplais les passants, c'était l'heure de sortie des bureaux, les gens se hâtaient, tête baissée sous une pluie fine, harcelante, combien d'entre eux avaient renoncé à leurs rêves? Combien survivaient en se bouchant les oreilles pour ne pas entendre les sarcasmes d'un conjoint, en fermant les yeux pour ignorer les humiliations d'un collègue?

Peut-être me faudrait-il finalement utiliser cette ordonnance qui n'avait pas quitté mon sac depuis le jour où j'étais partie de la maison sur ordre du psychiatre.

– On y est, a fait le chauffeur de taxi.

– Ah?

Bon alors, si *on y était*.

J'ai réglé la course, inspiré profondément, empoigné ma valise. Dans l'ascenseur, j'ai fermé les yeux pour éviter le miroir et la violence des néons, je me sentais comme un détenu qui rentre de permission, un vieux cheval de trait qui sent l'abattoir et ralentit à chaque pas sans oser se cabrer.

Je n'ai pas eu le temps de tourner la clé dans la serrure. La porte s'est ouverte devant moi, Max et Thomas se tenaient dans l'encadrure, un immense bouquet de fleurs blanches à la main. Ils m'ont embrassée, Bon retour à la maison maman!

Moi j'étais abasourdie, tétanisée par cet accueil, même lorsque j'avais été opérée d'une tumeur (certes bénigne) l'été précédent, ils ne s'étaient pas montrés si chaleureux, Eh bien, qu'est-ce que tu fais plantée là, ont-ils insisté, entre, dépêche-toi petite maman!

Dans l'enfilade de l'entrée, j'apercevais le salon et d'autres fleurs posées sur la table basse débarrassée des piles de jeux vidéo, disques, vieux mouchoirs qui l'encombraient d'ordinaire.

Thomas m'a attrapée par le bras et conduite jusqu'au canapé tandis que Max prenait ma valise – lui qui ne portait même pas un sac lorsque nous faisions des courses au supermarché –, non mais vraiment, était-ce possible ? Leur avais-je manqué à ce point-là ? Il m'a fallu quelques minutes pour me détendre, accepter cette idée, laisser les pensées obscures de côté, me raisonner, Allons Mariette, tu ne vas pas refuser cette surprise ? Ce cadeau ?

On en revient toujours au même, disait Jean, c'est la question du verre à moitié vide, la subjectivité née de la souffrance. Les événements passés, à juste titre, vous ont rendue méfiante, peut-être même parfois paranoïaque : vous êtes désormais suspicieuse à l'excès, conférant parfois aux autres des intentions qu'ils n'avaient pas, vous *cherchez la petite bête*. Je ne vous accable pas, c'est humain, presque inévitable, trop de frustration, trop d'agacement, trop de déception, quoi qu'ils fassent vous voyez votre mari comme un ennemi et vos enfants comme des monstres. Tentez de vous positionner autrement. Pensez qu'ils sont capables de sincérité. Pensez qu'ils sont capables d'amour.

– Alors, raconte, ont questionné les garçons. C'était comment là-bas, qu'est-ce que tu faisais de tes journées ?

Cet accueil tendre, ce salon clair, ordonné, ils m'entouraient de leurs bras, je les trouvais grandis, ou plutôt développés, peut-être l'éloignement stimulait-il la maturité ?

Je me suis soudain sentie mieux, l'appréhension a cédé, laissant la place aux conseils de Jean, être soi-même, décider, s'imposer, *il suffira de, tout ira bien Mariette* !

— J'étais là-bas pour faire le point, réfléchir, et c'est ce que j'ai fait, ai-je répondu aux garçons.

— Papa nous a dit que tu étais très fatiguée.

Exténuée, oui. Au pied du mur. À la limite. C'est ce qui arrive lorsqu'on accepte pendant trop longtemps ce que l'on sait devoir refuser. Mais tout va bien, maintenant.

Je me suis levée et j'ai parcouru l'appartement, lentement, il y avait cette odeur fraîche, agréable, une sensation de bord de mer, comme si quelqu'un l'avait aéré peu de temps avant mon arrivée. Rien ne traînait, aucune paire de baskets au milieu du couloir, pas un blouson sur la chaise de la cuisine, même les chambres des garçons étaient rangées – disons, dans un désordre normal pour des adolescents, quelques magazines çà et là, une canette de soda entamée –, les lits étaient faits et surtout, les volets étaient ouverts, ce qui était sans doute le plus surprenant car depuis quelques mois, mes enfants ne vivaient plus que dans l'obscurité, casques collés aux oreilles.

— Tu reprends quand le travail ?

Longtemps j'étais rentrée le soir prête à les fusiller, appréhendant le chaos, l'approximation, les devoirs pas faits, la cuisine pleine de vaisselle sale, les restes du déjeuner séchant sur la table, je déversais ma colère, C'est facile de ne rien respecter, d'abîmer, de tout laisser à vau-l'eau lorsque l'on sait que tout sera rangé, réparé, racheté, que l'on n'a pas le moindre effort à faire, que tout tombe du ciel d'un claquement de doigt, un texto à papa et le tour est joué!

Puis j'avais fini par abandonner, à quoi bon s'user à répéter les mêmes choses, ils seraient toujours les plus forts, les plus arrogants, Charles leur avait appris ça, mettre le monde à leur botte, à leur rythme, avoir le dernier mot — et puis ils avaient pour eux l'inconscience et l'énergie de la jeunesse.

— Je reprends lundi. Et de votre côté les garçons, tout s'est bien passé pendant mon absence ?

Ils ont échangé un regard, la mine s'est renfrognée, ils tergiversaient, est-ce le bon moment pour se plaindre, elle vient de rentrer, et puis Max a lâché : Oui, ç'a été, sauf Constance, elle est beaucoup trop chiante, il faut lui dire se calmer.

— Constance ?

— Papa ne t'a rien dit ? C'est la nouvelle femme de ménage. Elle vient tous les après-midi.

— Non, papa ne m'a rien dit, de toute façon on ne s'est pas parlé, et puis qu'est devenue Sophia, il y a eu un problème, papa l'a mise à la porte ?

— Sophia a donné sa démission parce qu'elle avait une proposition à plein temps. Sérieux, il va falloir que tu t'en mêles, c'est pas une femme de ménage, c'est un garde-chiourme.

» Elle a décrété qu'on devait gérer nous-mêmes notre linge, le trier, le mettre dans la machine et le ranger quand elle l'a repassé. Pareil pour nos chambres et pour la salle de bain, mademoiselle n'y met les pieds que pour vérifier si c'est assez rangé à son goût, et quand elle est de mauvais poil, elle part avec les câbles de la console. On a demandé à papa de faire quelque chose, mais il nous a dit qu'il n'avait pas le temps de s'en occuper, de trouver quelqu'un d'autre, que c'était pas son problème, non mais c'est le monde à l'envers ! Si on fait le ménage à la place de la femme de ménage, il faut nous verser son salaire ou lui demander de faire nos exos de maths ! Franchement maman : il faut que tu la vires.

— Il faut que je la vire. Mais dites-moi, les garçons, à seize ans est-ce qu'on parle comme un patron voyou ? A-t-elle commis une faute grave cette Constance ? A-t-elle eu des gestes déplacés envers vous ? Et soyons clairs, je ne parle pas de séquestrer une console. Je comprends que ce soit pénible pour de grands fainéants comme vous — je vous adore, hein ? —, mais ce que je vois ici, c'est une maison rangée comme jamais, un fonctionnement qui tourne au petit poil, oh bien sûr ce sont des contingences de bonne femme, des questions secondaires, mais sur moi elles ont un impact énorme, colossal même, alors je vais être honnête, les enfants, cette Constance, je ne l'ai jamais rencontrée, mais je l'apprécie déjà, c'est décidé, je la garde, il faudra vous y faire.

— Tu rigoles maman ?

— Pas du tout. À votre âge, il est temps de grandir, et au passage, d'apprendre la solidarité. Il fallait que les choses changent, de toute façon.

J'avais eu du mal à prononcer ces phrases, tout ça restait tellement inattendu, comme si la vie se mettait subitement de mon côté, m'envoyant un premier signe impossible à contester. J'affichais une certitude calme, mais au fond je bouillais d'émotions – ce n'était pas seulement mes fils qu'il fallait convaincre de mes propos, c'était moi, avant tout.

C'est à vous de jouer, m'avait glissé Jean lorsque j'étais partie. Contentez-vous d'être et vous verrez que le reste suivra.

Il suivait.

Dieu bénisse cette Constance.

— Ah, chérie, tu es là.

Charles rentrait à son tour. Le sourire aux lèvres, comme toujours ou presque lorsque les enfants étaient présents, ce sourire qu'il avait si souvent décoché après m'avoir réduite en miettes, murmurant de sa voix grave, enveloppante, Voyons ma puce, tu ne vas pas te mettre dans des états pareils, tu me connais, je suis franc, direct, trop, mais je t'aime, tout ce que je te dis c'est pour te protéger!

Ses armes de prédilection, en politique comme dans sa vie : le sourire et les mots.

Je me suis levée pour le saluer, Ma parole, ma chérie, mais tu es belle comme tout, tu as l'air en pleine forme, regarde-moi ce dos droit, tu t'es *détassée*, enfin je retrouve ma splendide petite femme!

C'était Charles. Le fait qu'il m'ait traitée comme un poids mort quelques semaines plus tôt, le fait qu'il m'ait menacée, humiliée, ne semblait pas le gêner le moins du monde. Si j'y avais fait allusion, il aurait justifié son attitude, il m'aurait démontré qu'il n'y avait pas d'autre conduite à tenir à l'époque, que tout cela c'était du passé, sans importance, qu'il agissait toujours au mieux pour nous deux – il valait mieux le laisser parler.

Tu es mon cancer, ai-je pensé. Tu as semé tes métastases avec adresse, tu m'as affaiblie d'année en année, mais Dieu sait comment, j'ai réchappé de tes attaques insidieuses, répétées, et aujourd'hui, quelque chose d'inespéré se produit, tu ne m'atteins plus, comme le prévoyait Jean, j'ai ôté ces lunettes que tu m'avais imposées, je vois le monde par moi-même, je te vois tel que tu es, un homme sans compassion, un type dévoré d'ambition personnelle, un sale con qui m'a utilisée de toutes les manières possibles, mais qui n'a jamais aimé personne d'autre que lui-même.

Car il est là, le malentendu. Comme une femme battue qui pardonne encore et encore, j'ai voulu croire toutes ces années que tu éprouvais pour moi des sentiments profonds. J'ai voulu croire que tu changerais. Quoi qu'en dise Jean, tu ne m'aimes pas mal, tu ne m'aimes pas. Je compte pour toi, oui, parce qu'un député de la droite très catholique se doit de présenter une famille rassurante. Je compte pour toi parce que j'élève tes enfants. Je compte pour toi tant que je suis exactement celle que tu veux, au millimètre près. Je compte pour toi comme une décoration au revers de ton costume.

Cela ne me convient plus.

Charles avait prévu de nous emmener dîner au restaurant pour *fêter mon retour* : un restaurant très chic, très cher, avec du linge de table en lin blanc, des chandeliers en argent et un serveur derrière chaque chaise.

Nous avons passé la soirée à deviser tous les quatre comme si de rien n'était, j'essayais de me concentrer sur les anecdotes des garçons, leurs projets pour les vacances, j'essayais de déguiser mon trouble, ce n'était pas si simple sous l'œil inquisiteur de Charles, je sentais qu'il sentait, il savait, les choses avaient changé – j'avais changé.

À l'issue du repas, le chef est venu nous saluer.

— Monsieur le député, j'espère que vous avez apprécié votre dîner, je suis honoré de vous rencontrer, quelle belle famille, félicitations !

— Merci, a répondu Charles, c'est la réussite dont je suis le plus fier, mais je la dois avant tout à ma merveilleuse épouse. Elle a fait de moi un homme comblé et, croyez-moi, je n'envisagerais pas la vie sans elle.

— Je comprends, a répondu le chef, embarrassé par cette soudaine confidence.

Les garçons contemplaient leur père avec admiration. Comment auraient-ils pu deviner la menace déguisée derrière le compliment ?

J'étais seule à connaître les deux visages de Charles. Après tout, peut-être était-ce – aussi – un avantage.

MILLIE

Les débuts chez Robertson ont été compliqués. Autant l'accueil de *Papa Dieu* avait été sympathique, autant celui de mes collègues fut glacial. J'avais rejoint en tant qu'assistante une équipe de quatre jeunes femmes – l'une d'elles, prénommée Sandra, supervisant les trois autres, Violette, Sarah et Léandrie.

Jusque-là, mes missions s'étaient toujours parfaitement déroulées : je savais mieux que quiconque m'intégrer dans un décor et me faire oublier tout en donnant satisfaction. Mais cela, c'était *avant*. Désormais j'avais l'intention d'exister – et c'était un euphémisme. Je les étudiais, trois blondes – dont au moins une fausse –, maquillage sophistiqué, ongles manucurés, qui chuchotaient en vérifiant d'un coup d'œil que j'étais trop loin pour les entendre (sur ce point, elles se trompaient).

Nous avions à peu près le même âge, sauf pour Sandra à qui je donnais la trentaine, et, en entrant dans le bureau vitré, je n'ai pu m'empêcher de penser que je pourrais être à leur place, posséder le même titre – responsable commerciale export, chargée de mission, superviseur (pour Sandra) –, rire avec les autres en échangeant les informations du matin, les histoires de fiancés, l'adresse d'un nouveau restaurant, si seulement *cela n'était pas arrivé.*

Ce n'était pas douloureux, ni amer, c'était un constat, un rappel du chemin parcouru, des pierres jetées par le destin, quoi qu'il en soit j'allais rattraper le temps perdu, je m'en sentais capable, toute cette énergie inexploitée durant des années se trouvait à ma disposition, c'était une arme puissante dont je savais enfin initier la mise à feu.

Elles ne m'aimaient pas et me l'ont montré sans attendre. Je leur faisais peur. Non qu'elles sentent mon désir, ma faim de me hisser – je savais offrir un visage impassible, une neutralité irréprochable –, mais plutôt parce que Robertson, persuadé que je sortais d'une grande école et que j'occupais un poste important avant l'accident, avait évoqué mon cas auprès de Sandra dans des termes un peu trop flatteurs. Malgré ses efforts de discrétion, j'avais entendu ma *supervisor* (elle l'écrivait à l'anglaise sur sa carte de visite, comme si cela conférait de l'importance au titre) faire à ses collègues la synthèse de la conversation.

– «Fascinante.» «Brillante.» «Une pépite!» Et lorsque j'ai rappelé son âge, devinez ce qu'il a répondu? «La valeur n'attend pas le nombre des années, ma petite Sandra, quand on a mon expérience, on sait reconnaître le talent, la vivacité d'esprit, d'ailleurs je compte sur vous pour faire en sorte que ce talent s'exprime, s'épanouisse, je compte sur vous pour l'aider, ne me décevez pas Sandra!»

Les autres avaient secoué la tête d'un air dégoûté, Pff, c'est trop facile, s'il suffit d'être rescapée d'un accident pour devenir la huitième merveille du monde!

Quant à moi, j'étais bouleversée. «Brillante», «talentueuse», de tels qualificatifs quand, quelques semaines plus tôt, j'étais encore celle dont on oubliait le visage, le nom, la présence! J'avais beau être la mieux placée pour savoir ce que ce jugement avait d'irrationnel et d'infondé, mon ambition et mon énergie s'en trouvaient décuplées.

Dès ce moment, j'avais joué de leur inquiétude et fait en sorte d'alimenter le doute sur mon *curriculum vitae*. Je m'appliquais à sursauter lorsque certains termes compliqués étaient prononcés, *imputation des coûts de gestion de l'affacturage, cash management*, comme s'ils éveillaient des souvenirs précis. Je lâchais au détour d'une remarque une expression en chinois, *Chu haiguan*, ou en allemand, *Abwicklung und Kontrolle des gesamten Material* comme s'il s'agissait d'un réflexe, laissant supposer que je n'étais pas seulement trilingue mais quintilingue – au minimum. Bien sûr, j'avais appris tout cela la veille sur un site quelconque de traduction ou d'*e-learning*.

Les filles se décomposaient.

– Tu sors ça d'où ?

– Aucune idée, c'est venu tout seul…, répondais-je d'un air hésitant. Je ne sais même pas ce que ça veut dire.

Pendant qu'elles s'évertuaient à décoder un passé improbable, lançaient des recherches sur Google dont je trouvais facilement la trace dans l'historique dès qu'elles quittaient la pièce (« chef export français anglais chinois espagnol allemand »), je travaillais à ma prise de pouvoir. Je récupérais leurs fichiers de contacts, notais les procédures, enquêtais sur les clients et les fournisseurs, cherchais des solutions compétitives. J'étais très forte avec un ordinateur entre les mains, ayant autrefois employé des centaines d'heures à surfer seule face à mon écran pendant les pauses déjeuner.

Chez Robertson aussi, je déjeunais seule à mon bureau – du moins les premiers temps. Les filles ne me proposaient jamais de les accompagner ; cela m'était égal. Je ne cherchais pas à me faire des amis, mais une situation : pour le reste on verrait plus tard, il fallait procéder par étapes, avec méthode.

Mon parcours m'avait appris combien l'apparence était la clé de tout et amenée à deux conclusions opérationnelles :

— Ce qui faisait le sel de la vie et à quoi j'avais renoncé autrefois, c'est-à-dire l'amour, les relations humaines en général, les plaisirs et les loisirs, était directement lié à la position que l'on occupait sur l'échelle économique et sociale. Autrement dit, bénéficier d'un statut et d'un salaire importants donnait accès aux meilleurs partis et aux plus agréables distractions — toute thèse opposée relevant d'un idéalisme ou d'un romantisme également condamnés à l'échec.

— La plupart des gens étaient prêts à croire ce qu'on leur racontait du moment qu'on le présentait avec suffisamment de conviction.

Que l'on ne se méprenne pas. Je n'avais pas l'intention de me transformer en tueuse dépourvue d'âme et de sens moral. Je désirais simplement me faire une place dans ce monde et, manquant de pratique, il me fallait être tactique. Puisque mes collègues se refusaient à me tendre la main et s'entêtaient à me voir comme une rivale à abattre, cela malgré mon petit salaire et ma qualité de subalterne, je n'avais d'autre choix que me frayer un chemin seule vers la prise de pouvoir, écouter, apprendre, accumuler les connaissances et les savoir-faire en attendant l'espace pour agir, tout en me protégeant de leurs agressions. Car Sandra cherchait en permanence le faux pas, espérant démontrer mon incompétence. Elle avait peu de chance d'y arriver : si encore elle avait suivi les consignes de Papa Dieu en me confiant des missions consistantes et complexes, l'organisation d'un transport délicat par exemple. Mais elle se bornait à me faire taper des courriers, vérifier le déroulement des expéditions, relancer des fournisseurs, trier des bons de commande, bref, toutes sortes de besognes ordinaires qui ne comportaient pas la moindre prise de risque. J'étais inattaquable.

Les jours s'égrenaient ainsi dans une guerre des tranchées silencieuse, chacune surveillant l'autre. Sur Sandra, j'avais l'avantage d'être tenace et d'avoir la peau plus dure. Elle avait celui d'être entourée. Violette, Sarah et Léandrie tentaient à l'unisson de peser sur mon moral en exposant un front uni, en partageant une boîte de chocolats ou un paquet de chewing-gums sans m'en proposer, en pouffant ostensiblement quand j'entrais dans la pièce ou en « oubliant » de prendre mon courrier si j'étais absente du bureau lors du passage du chariot.

Je ne relevais rien. Je ne laissais rien paraître et trouvais presque plaisir à observer leur déception lorsqu'elles me tendaient leurs pièges puérils sans obtenir la moindre réaction. Je guettais simplement l'heure du déjeuner, sachant qu'alors je pourrais respirer tandis qu'elles partiraient bras dessus, bras dessous faire du lèche-vitrines ou déguster des sushis.

De mon côté, j'avais pris l'habitude de me rendre dans une boulangerie toute proche où l'on pouvait commander une salade ou boire un café, accoudé à un immense comptoir qui courait le long des murs. D'ordinaire, je n'y restais pas, pressée de retrouver la compagnie de mon ordinateur. Mais un midi, j'avais eu la grande surprise de me cogner à Monsieur Mike, le responsable de la sécurité de l'Atelier.

– C'est amusant, avais-je remarqué. Nous vivons au même endroit et il faut que ce soit à l'autre bout de la ville que nous nous croisions !

J'avais dû lui tirer les vers du nez pour qu'il m'avoue que sa mère, impotente et d'un caractère irascible, habitait, hasard complet, un immeuble voisin. Chaque jour, il lui montait son courrier et quelques courses, écoutait ses doléances, inspectait l'armoire à pharmacie pour anticiper les ruptures de stock et bricolait si nécessaire avant de prendre un en-cas et de retourner à l'Atelier.

En l'écoutant, je m'étais sentie touchée, presque troublée. Ce grand gaillard prenant soin de sa mère mieux qu'un antiquaire d'un vase Ming ! Et puis il me parlait normalement, comme si j'étais une fille quelconque, pas une survivante qu'on devait craindre ou admirer – c'était tellement reposant.

Ce jour-là, il a quitté le premier la boulangerie et m'a lancé, À demain peut-être !

150

Le matin suivant, j'ai consulté malgré moi ma montre à plusieurs reprises. À douze heures quarante-cinq tapantes, je descendais.

– Tu prends tes aises, a fait remarquer Sandra. Je te préviens, si tu rates un appel important, tu en supporteras les conséquences.

Monsieur Mike était déjà installé au comptoir, un sandwich à la main. Il a eu un large sourire, Quel plaisir de vous voir Zelda, je viens d'avaler une sacrée soupe à la grimace, si vous saviez, c'est ce temps aussi, l'humidité, les rhumatismes, ça n'arrange pas le caractère, ah ce n'est pas simple de vieillir, alors pensez si je suis content, un peu de douceur après la tornade maternelle!

– Devinez quoi, ai-je répondu, je ressens exactement la même chose : je n'ai pas de mère tyrannique et handicapée à supporter, mais mes collègues de bureau sont des plaies, elles me jalousent, cherchent toutes les occasions de me freiner, m'attaquent même, vraiment vous trouvez ça normal? Croyez-vous qu'elles auraient aimé se réveiller au milieu des flammes? Même si je mesure ma chance d'avoir obtenu cet emploi dans ma condition, j'ai parfois envie de tout plaquer.

– Je croyais que vous étiez heureuse, là-bas, s'est étonné Monsieur Mike. Monsieur Hart – je veux dire Jean – était content pour vous, il dit que Robertson est un homme bien.

– C'est un homme bien, mais il est perché dans

son bureau et loin d'imaginer ce qui se trame dans les étages de son entreprise. Le problème, c'est cette maudite amnésie. Je pensais susciter la compassion ou au moins l'intérêt, comprenez-moi, je ne recherchais ni l'une ni l'autre, je m'attendais simplement à en être l'objet, et c'est tout l'inverse qui se produit, on se méfie de moi comme si j'étais un serpent à sonnettes. J'espérais me construire un avenir, mais on me cantonne à des tâches primaires. Robertson m'a poussée à prendre des responsabilités, mais cette Sandra et ses acolytes ne m'en laissent pas l'occasion et me barrent la route. Je me sens parfois découragée.

Il m'écoutait avec attention, hochant la tête, posant sa large main sur la mienne en signe de sympathie, Je comprends Zelda, à moi aussi on a souvent barré la route, il faut tenir bon, c'est le secret, le seul, avancer malgré les gifles, les trahisons, il arrive toujours un moment où la roue se met à tourner dans le bon sens.

Sa voix avait fléchi. J'ai soudain remarqué sa peau tatouée et la pointe d'une cicatrice qui dépassait du col de sa chemise.

— Il faudra me raconter d'où vous venez, Monsieur Mike. Et comment un sans-abri ex-déserteur de l'armée en sait si long sur la psychologie. Vous parlez parfois comme un livre.

— Les livres, a-t-il soupiré… J'en ai lu un paquet pour combattre l'ennui. Pour le reste, c'est une longue histoire. Un jour, peut-être ?

J'allais repartir travailler lorsqu'il m'a proposé, On pourrait s'arranger pour prendre notre café ensemble chaque jour, si vous êtes d'accord ?

Et comme je ne répondais pas immédiatement, il a ajouté avec précipitation : Surtout n'y voyez pas d'arrière-pensée – c'est uniquement pour le plaisir de voir un visage amical.

J'ai souri : Pas avant treize heures alors, sinon l'affreux dragon me réduira en cendres.

C'est en sortant de la boulangerie sous les regards scrutateurs d'une partie des employés que j'ai réalisé combien Monsieur Mike dissonait. Son allure martiale, sa silhouette de catcheur dans son costume noir, sa taille élevée – il dépassait les autres hommes d'une tête, et moi de deux –, sans compter la raison de sa présence que j'étais seule à connaître : une vieille mère fatiguée qui n'avait rien trouvé de mieux que s'installer dans un quartier d'affaires.

Voilà pourquoi je me sens si bien avec lui, ai-je songé, comme moi, il est différent, comme moi, il est *en dehors*.

Tandis que je regagnais mon bureau, une sensation de légèreté indescriptible m'a soudain transportée : une sensation que je n'avais plus ressentie depuis l'âge de douze ans.

Je n'étais plus seule.

Monsieur Mike

Malgré ce matelas doux comme un cul de bébé, je n'arrivais pas à trouver le sommeil, le comble pour un ex-S.D.F. capable de pincer son roupillon à poil sur la terre battue d'une chaufferie d'immeuble.

C'était trop pour un seul homme. Je continuais à chercher l'explication sans relâche : pourquoi *moi*? Pourquoi ce cadeau m'était tombé dans les bras, un boulot, un salaire, un toit, et la Petite pour voisine!

Je me regardais dans la glace et tout ce que j'y voyais c'était un pauvre type incapable d'avoir mené quoi que ce soit à bien, un raté, muni de circonstances atténuantes, d'accord, mais une enfance minable ne pouvait quand même pas justifier autant de tonneaux.

N'empêche. Je ne laisserais pas passer mon tour, ce coup-là, même s'il fallait ralentir sérieusement sur la canette et reprendre les séries de pompe. Surtout avec la Petite. Si je m'attendais à ça. Jean m'avait précisé, Elle est notre priorité, il faut la protéger, lui ouvrir le chemin, trouvez une manière, attention, il faut être adroit, elle a besoin de se sentir indépendante, autonome, on marche sur des œufs, une amnésique, elle a besoin de prendre confiance en elle, c'est une vieille femme et un enfant à la fois, j'y tiens beaucoup, vous n'imaginez pas.

Ça ne plaisait pas à tout le monde, cet intérêt. Surtout pas à Sylvie, la brune qui lui servait de secrétaire et s'occupait de la comptabilité. À la voir distribuer les tâches, lâcher ses commentaires et faire claquer ses talons, il était clair qu'elle se sentait plus dans la peau d'une directrice adjointe que dans celle d'une assistante – enfin, quand Jean n'était pas dans le coin, parce que dès qu'il se pointait, c'était comme si elle dégringolait brusquement de l'armoire, elle baissait les yeux, elle s'arrachait la peau autour des ongles, elle se mordait les lèvres, bref, je suis peut-être pas un expert mais on voyait bien qu'elle était en admiration, et même beaucoup plus que ça, c'était quelque chose entre la passion et la bondieuserie.

Fallait voir comment elle m'avait bassiné, à mon arrivée, avec la *mission*, et combien Jean était *merveilleux*, ah si seulement il y avait plus de Jean, le monde se porterait bien mieux, il sauve des vies, c'est un rédempteur, se consacrer à ça, après ce qu'il a vécu, c'est admirable, êtes-vous conscient de *la chance que vous avez*, rejoindre son équipe, vous savez qu'on reçoit des C.V. tous les jours ? On a beau être discret, parce que Jean est comme ça, humble, modeste, quand je vous dis qu'il est merveilleux, il n'en fait aucune publicité, il n'en tire aucune gloire!

J'avais demandé avec une certaine malice, Il en tire quoi alors? Elle avait secoué la tête l'air navré, Monsieur Mike, faites un effort enfin, dispenser le bien autour de soi, vous ne croyez pas que ce soit assez gratifiant? Assister à des renaissances, voir son prochain trouver un sens à sa vie, figurez-vous que ça lui suffit!

Mais j'avais insisté parce que j'aime bien savoir où je mets les pieds, Ce qui m'échappe ma belle, c'est comment cette fabuleuse boîte tourne, parce que M. Hart m'a promis un salaire, je lui fais confiance bien entendu mais entre nous, c'est quoi le fond du business, la Petite et tous les autres, ils payent quelque chose? C'est pris en charge par la Sécu?

Elle a grimacé, Ne vous inquiétez pas pour l'argent, ça rentre, ça sort, on a des subventions, des donateurs, non vraiment je peux vous assurer que vous serez payé, de ce côté-là vous n'avez pas le moindre souci à vous faire.

Cette expression béate et son ton de curé quand elle parlait de Jean, elle m'amusait et puis je voyais bien que je ne lui étais pas indifférent non plus parce que le patron, c'était le patron, très loin, très haut, une légende qu'elle rejoignait la nuit en rêve roulée dans les draps fleuris d'une petite chambre bien ordonnée, ne me demandez pas comment je le savais, ça se voyait comme le nez au milieu de la bobèche qu'elle se réveillait les cuisses et les yeux mouillés, le palpitant affolé, jusqu'à boire un café serré qui lui remettait les cheveux en place et les idées au frais.

En attendant, il fallait bien viser plus bas pour satisfaire les besoins de la nature et là j'étais un parfait candidat, dès le premier jour quand elle m'avait pris la main pour me conduire jusqu'à son bureau, exerçant une légère pression du pouce sur ma paume, j'avais compris qu'elle ouvrait le champ des possibles, on avait ça en commun elle et moi, la nécessité de viser des objectifs raisonnables, à portée, sans se faire d'illusion ni cracher dans la soupe – on savait s'adapter, faire avec.

Quatre jours après mon installation, Sylvie est venue frapper à ma porte après sa journée de travail, il était assez tard, vingt heures peut-être, Je ne vous dérange pas, a-t-elle questionné avec hypocrisie – elle savait pertinemment que j'étais seul et désœuvré, je n'avais ni ordinateur ni téléviseur, juste mon vieux poste de radio sur lequel j'écoutais les retransmissions de la Coupe et deux ou trois journaux que j'empruntais à l'accueil pour la nuit, je l'ai fait entrer, J'ai pensé qu'il serait utile de faire un peu connaissance, a-t-elle poursuivi avec un sourire travaillé, puisque nous sommes amenés à collaborer.

Elle serrait contre elle une bouteille de rouge, et pas de la vinasse, un premier cru s'il vous plaît, ongles rouge violent refermés sur le col, devant ma surprise elle s'est empressée d'expliquer que l'Atelier en avait reçu une caisse en cadeau, c'était fréquent, beaucoup de vin, des chocolats, toutes sortes de dons en nature que Jean partageait entre tous.

On n'a pas énormément causé ce soir-là. J'ai su qu'elle était célibataire, qu'elle travaillait pour Jean depuis plus de dix ans, qu'elle habitait tout près un studio sous les toits. Elle m'a demandé dans quels pays je m'étais rendu en tant que militaire, j'ai commencé à les énumérer mais elle s'est jetée subitement sur moi et m'a embrassé avec une technique et une détermination qui forçaient le respect. Elle n'était pas vraiment jolie mais elle avait son charme, des cuisses et des bras ronds et chauds dans lesquels on avait envie de s'enfouir en attendant la fin du monde et un cul parsemé de grains de beauté qui ne demandait qu'à danser le mérengué. J'avais la peau sèche et l'instrument en pelote à force d'avoir été privés de caresses, autant dire qu'à cet instant, la fusion entre nous était aussi logique qu'inévitable, dont acte.

Plus tard, ce même soir, elle s'est rhabillée en sifflotant comme si on venait de faire une partie de belote, a fait tourner son soutien-gorge comme un lasso en signe de bonne humeur, enfilé sa jupe en tortillant des fesses puis s'est penchée sur moi – j'étais resté affalé sur le lit –, m'a fait la bise sur les deux joues, amicalement, m'a lancé un clin d'œil, à demain Monsieur Mike!

Je ne m'attendais pas à celle-là. En général, dès qu'on taquine le traversin avec une fille, je ne parle pas des professionnelles bien entendu, il faut répondre à un questionnaire de moralité, promettre que c'était bien, qu'on va se revoir, jurer que madame a un corps parfait, Non mais tu le jures chéri, je ne suis pas grosse?
Avec Sylvie il n'y avait rien eu de ce genre, seulement des mains et une bouche posées aux bons endroits, des jambes qui pédalaient à la bonne vitesse, le sifflotement léger et la bise, à demain Monsieur Mike. Sur le pas de la porte, elle s'est quand même retournée, ce n'était pas pour échanger des mots doux, seulement pour s'assurer de mon silence, Tout ça c'est entre nous, n'est-ce pas?

Sans doute lui restait-il un infime espoir qu'un jour, Jean s'intéresse à elle en tant que femme, corps, amante, et non en tant que comptable, bras droit et/ou assistante. J'ai hoché le menton pour la tranquilliser, je ne comptais pas non plus faire état de notre récente relation, moi c'était plutôt pour la Petite que je m'inquiétais, je ne voulais pas la troubler tout en sachant que c'était stupide de ma part, naïf, hors sujet, la Petite ne risquait pas de s'interroger sur ma vie sexuelle ou amoureuse et même si elle s'en souciait un jour, ce serait par pure compassion, qu'est-ce que ça pouvait bien lui foutre de me savoir au lit avec une donzelle ou une autre.

Sylvie est revenue une deuxième fois, puis une troisième. Ce soir-là, elle a proposé qu'on se voie chez elle : c'était plus simple, on n'aurait pas à surveiller les couloirs, à étouffer les bruits suspects, on pourrait envoyer la musique et pourquoi pas casser la graine si l'amour nous mettait les crocs – j'ai dit banco.

Elle avait aménagé son studio exactement comme je l'imaginais, une chambre de jeune fille (elle avait quand même trente-cinq ans) avec les draps à fleurs et l'abat-jour crème sur la table de chevet, des coussins rose et parme – c'est elle qui m'a appris l'existence de cette couleur. Chez Natalie, tout était noir et blanc, « moderne et graphique », comme elle aimait le dire, je trouvais ça lugubre mais reposant après des heures passées dans le jaune griffant du sable, le vert effacé des buissons secs, le rouge du sang sur les brancards –, aujourd'hui je me demande ce qui m'est le plus étranger, des couleurs fleuries tendance godiche ou du moderne tendance crâneuse.

Assez vite, nos rendez-vous sont devenus réguliers. Un peu trop à mon goût, mais je me suis bien gardé de m'en plaindre, mieux vaut trop que pas assez, et puis aucun mot engageant n'était prononcé, elle naviguait toujours entre deux personnages, la fille qui n'accorde aucune importance à l'affaire et celle qui ne fait que son devoir, parce qu'il y avait ça aussi chez elle, ce côté bonne sœur qui vous veut du bien envers et contre tout, pas mon genre mais que voulez-vous, qui a faim dîne, peu importe le contenu de l'assiette.

Parfois, on évoquait les dossiers en cours. Celui de Zelda, surtout, qu'elle suivait avec une attention particulière. Il y avait de la curiosité bien sûr, tout le monde était curieux de ce que deviendrait Zelda, est-ce qu'on pouvait vivre longtemps assis sur du néant, est-ce qu'elle recouvrerait la mémoire un jour, et, si c'était le cas, qu'est-ce qu'elle ferait de toutes ces cartes mélangées ? Si elle recouvrait la mémoire, la Petite retrouverait une famille, des amis, un amoureux peut-être, sûrement même, belle comme elle était, l'étoile friable, la vieille dame dans un corps d'enfant, ce serait un tremblement de terre, elle n'aurait plus qu'une obsession, revenir aux siens, à son passé, elle me rayerait de sa liste comme l'armée m'avait rayé des siennes et tout s'assombrirait.

— À quoi penses-tu ? avait questionné Sylvie, alors que je fumais accroché à la lucarne de sa chambre, le regard fixé vers le ciel.

— Au passé, au présent, à l'avenir.

— Ne t'en fais pas pour ton avenir. Tu es à l'Atelier, ton avenir est assuré : Jean n'a jamais abandonné personne. S'il n'avait plus besoin de toi, il te trouverait quelque chose. Sauf faute de ta part, bien sûr.

— Quel genre de faute ?

Elle a froncé les sourcils, Je ne sais pas, moi, si tu le décevais, mais Jean n'attend rien d'autre que la loyauté, contente-toi de répondre à ses demandes et tout ira bien !

Je n'ai pas aimé son ton agacé, comme si mes questions étaient superflues, déplacées, comme si je devais faire un chèque en blanc à Jean (malgré ce que je lui devais, j'étais majeur et vacciné, je n'avais pas l'intention d'être traité comme un gosse), et puis j'ai rétorqué, répondre aux demandes de Jean n'est pas toujours facile même si la mission est toujours noble, ça exige de la réflexion, du tact, ça réclame parfois d'aller contre certains principes et ça, vois-tu, ma belle, ça me met la rate au court-bouillon parce que précisément j'ai quitté l'armée pour ne plus sacrifier mes principes à l'obéissance aveugle.

— Ce n'est pas une décision qui t'a tellement réussi, a objecté Sylvie avec perfidie.

J'étais resté cueilli par sa remarque. Elle s'est radoucie, Peut-être que ton problème, c'est que tu n'arrives pas à faire confiance ? Jean est un visionnaire. Il distingue au-delà de ce que nous pouvons voir : voilà pourquoi nous devons suivre ses consignes quand bien même on éprouverait des doutes. C'est ce qu'il attend de nous tous.

— Quand je mens à Zelda, par exemple, ça me met mal à l'aise…

– Tu mens ?

Bien obligé. Parce qu'il m'a ordonné de veiller sur elle, d'être son ombre, son éclaireur, parce qu'il m'a demandé de l'approcher, d'être son confident, l'épaule sur laquelle elle s'appuierait, il a fallu louvoyer, inventer une histoire de vieille mère, organiser le hasard, voilà c'est fait, chaque jour nous nous voyons, elle me parle, elle se raconte, elle m'offre ses conseils je lui offre les miens, et tu sais quoi ? Ça m'étouffe de la tromper, elle a bien assez de chausse-trappes autour d'elle, Oh, a répondu Sylvie, arrêtez tous avec cette fille, elle n'est pas si fragile que ça, elle tire parfaitement son épingle du jeu, il y a des dossiers plus délicats que le sien, et puis merde, tu ne lui tends pas un piège, tu l'aides !

Après cette conversation, j'ai évité de mentionner la Petite. Parfois, Sylvie remettait le sujet sur le tapis, surtout quand on abusait de la bibine : elle avait une sérieuse descente de gouttière pour une moitié bigote. Mais elle n'en avait pas qu'après Zelda, les autres aussi en prenaient pour leur grade. Les femmes, surtout. Elle moulinait la critique du matin au soir, soupirait en secouant la tête, Crois-moi Monsieur Mike, si j'étais chargée du tri des dossiers, je mettrais la moitié de la sélection de Jean au panier ! Et je ne parle pas des cas limites… Les petits services, ça va bien…

– Les petits services ?

– Je me comprends… Mariette Lambert par

exemple, dis-moi un peu, qu'est-ce qu'on s'emmerde avec une tanche pareille ? Tu crois qu'on n'avait pas autre chose à faire qu'aller chercher une bourgeoise dépressive ? Non mais tu l'as vue quand elle vivait ici ? Toujours à quémander un rendez-vous avec lui, à s'enfermer dans son bureau, heureusement qu'elle a dégagé celle-là…

Elle était transparente. Sa jalousie taraudante. Son adoration pour Jean, son abnégation, parce qu'il fallait voir comment il l'appelait en hurlant d'un bout à l'autre, Meeeeerrrteeeeeens ! (c'était sa manière d'exprimer son agacement, sa colère lorsque quelque chose lui déplaisait, il désignait le coupable par son nom de famille). Il fallait voir les reproches, les brimades même, suivis d'excuses souvent publiques sous forme de clin d'œil, Cette pauvre Sylvie, me supporter depuis dix ans, elle a gagné sa place au paradis !

Il était aussi dur avec elle qu'elle l'était avec les autres, mais elle acceptait tout, absolument tout du moment qu'elle conservait cette place privilégiée, ce lien, ce rang qui la faisait péter de fierté. Et lorsqu'elle sortait d'un de leurs tête-à-tête, son air liquéfié la rendait émouvante comme un adjudant-chef à qui une grenade aurait arraché les deux jambes en pleine gueulante.

La vérité, c'est qu'ils auraient fait un beau couple.

Mariette

– Eh bien, au moins, tu as retrouvé ton coup de fourchette, a lancé Charles alors que nous rentrions après le dîner.

Je me suis demandé si c'était encore une de ses vacheries : mon poids avait longtemps été une question récurrente entre nous. Il me bombardait d'allusions, de remarques, au restaurant en s'adressant au serveur, Mariette, la tête de veau, euh… comment dire, trois cents calories ? Ou pire encore, lorsqu'on dînait avec ses amis, Mariette, on ne se ressert pas lorsqu'on a l'I.M.C. d'un phoque, allons ne fais pas cette tête, si on ne peut plus plaisanter, qu'est-ce qu'il y a de plus mignon qu'un bébé phoque, hein ?

Je dis ses amis, pas *des*, ou *nos* amis, moi je n'en avais plus, à part Judith que je voyais une fois l'an, il m'avait éloignée de tout et de tous, à force de critiques incessantes, à force de dévaloriser ceux que j'aimais, Comment peux-tu fréquenter cette fille, ma pauvre, tu ne vois pas qu'elle est conne, elle te tire vers le bas, à chaque fois que je l'entends parler j'ai envie de commettre un meurtre.

Si longtemps je l'ai laissé faire. Je n'avais pas sa facilité à jouer avec les mots, et puis il y avait ce sentiment de point de non-retour, d'impuissance, de désorientation, ce sentiment d'être sur des sables mouvants, cette incapacité à faire valoir la vérité puisque hors de notre huis clos, tous le jugeaient parfait, adorable, brillant, il se transformait, se déguisait jusqu'à la langue qu'il employait, avec moi il pouvait être grossier, vulgaire, cruel, sabordant le français, tandis qu'en présence des autres il s'exprimait avec un langage châtié et policé.

Au cours des derniers mois, j'avais perdu une demi-douzaine de kilos, je vomissais presque chaque jour, ce n'était pas délibéré, j'ai même cru être malade, j'ai vu des médecins, subi des examens, mais rien n'a été détecté, je vomissais ma vie tout simplement.
Ce n'était plus le cas.

— J'avais faim, ai-je rétorqué à Charles ce soir-là, sans le fuir du regard, d'une voix sinon assurée, du moins claire, ce qui constituait un progrès galvanisant.

166

Une fois rentrés, il m'avait prise dans ses bras mais je m'étais détachée, je n'avais pas encore le courage de lui lancer ce qui m'agitait, que je ne voulais plus de lui, de son manège, de ses ordres, de sa dictature, que je refusais qu'il me touche, que mon corps le rejetait tout entier, alors j'ai menti et je me suis contentée de prétendre une indisposition.

J'ai passé les jours suivants à l'éviter autant qu'à éviter le sujet. Pourtant il faudrait bien lui faire face un jour, prononcer ce mot qui désormais me hantait, *séparation*, même si sa réaction prévisible me terrifiait d'avance, même si je n'étais pas sûre d'être de taille, mais avant d'entrer en guerre il fallait commencer par gagner une autre bataille, plus immédiate, il fallait revenir au collège, braver les provocations de Zébranski et la suspicion des collègues, y compris celle de Vinchon, reprendre les cours sur de nouvelles bases, instaurer de nouvelles règles comme l'avait préconisé Jean, sûr de ma victoire. Il avait sa théorie.

— Zébranski aura eu le temps de réfléchir aux conséquences de ses actes. Il vous a quand même envoyée en maison de repos, ce n'est pas rien ! Vous verrez qu'il ne prendra pas le risque de créer un nouvel accroc. Il pourrait même avoir peur de vous. C'est vrai quoi, vous avez perdu les pédales au point de le balancer dans l'escalier, qui sait ce que vous pourriez faire si on vous poussait à nouveau à bout ?

— Je ne l'ai pas balancé dans l'escalier. Je l'ai giflé, il s'est trouvé déséquilibré, il est tombé dans l'escalier.

— Il aura peur, vous verrez.

Le lundi matin, je me suis réveillée avec une heure d'avance. Je tenais à me préparer physiquement. J'ai fait quelques exercices de respiration appris à l'Atelier, pris une longue douche tiède, puis je me suis appliqué un masque rapide dont la notice promettait un visage *tonifié et éclatant*. Je me suis ensuite maquillée avec soin, mais j'étais nerveuse et j'ai dû m'y reprendre à deux fois pour appliquer le trait d'eye-liner noir.

D'ordinaire je portais toujours les mêmes vêtements informes et confortables pour aller au collège, leggings, pantalons larges, pulls immenses. Cette fois j'avais opté pour ma robe préférée, une petite robe noire à la coupe simple mais élégante, près du corps, soulignant la taille – le chauffeur de bus m'a lancé un clin d'œil lorsque je suis montée.

Je suis restée concentrée tout le temps qu'a duré le trajet, joue collée à la vitre froide, pied frappant nerveusement le sol, repassant en revue les différentes configurations anticipées et examinées depuis plusieurs jours. J'avais avalé le dernier quart d'un bétabloquant conservé précieusement au fond de mon sac depuis des semaines – mon médecin ayant refusé de me renouveler la prescription après avoir découvert que je l'utilisais chaque matin avant d'entrer en classe, et non occasionnellement pour des conférences comme je l'avais juré.

Le bus s'est arrêté. Le bâtiment massif, la cour de ciment gris, les grappes multicolores des sacs de classe, le sol dallé noir et blanc, les portes à la peinture écaillée, voilà, ai-je pensé, tu y es Mariette, là où tout a vraiment commencé, là où tout peut encore arriver, tu y es, mais as-tu seulement modifié l'aiguillage, inversé la mécanique ? Es-tu prête à saisir ta chance ?

— Ah, madame Lambert, a lancé Vinchon qui surveillait le flot des élèves dans le hall, bras croisés dans le dos, quel plaisir de vous revoir avec cette mine !

Il semblait sincère, presque ému, cherchait ses mots, Vraiment, ce… votre… ce repos vous a fait le plus grand bien, vous êtes… euh… superbe !

Baissant la voix, il s'est approché, a pris ma main entre les siennes d'un air entendu, Ce qui vous est arrivé nous pend au nez à tous, nous n'avons pas un métier facile, ce qu'il faudrait, c'est être plus attentif aux signaux d'alarmes, s'entraider aussi, nous avons la tête dans le guidon et voilà le résultat, bref, je ne vous mets pas en retard, vos élèves vous attendent avec impatience, on approche du brevet, figurez-vous que je n'ai jamais pu obtenir un remplaçant, si, si, je vous assure, bravo le rectorat, alors pensez s'ils sont pressés de vous retrouver pour finir le programme, ils vont devoir mettre les bouchées doubles et vous avec!

J'ai réussi péniblement à lui sourire et je suis montée au premier étage, où se trouvait la classe de 3ᵉ 2.

J'ai aperçu Zébranski du fond du couloir. Il était adossé au mur, discutant avec son cercle d'âmes damnées. Mon ventre s'est contracté, ma gorge s'est asséchée, Pense aux vagues contournant le haut-fond Mariette, pense au soleil sur tes bras nus, au vent qui traverse les arbres, qui défie le feu et l'espace, pense aux promenades avec Jean, au verre à moitié plein, au temps qui passe! Mes pieds, étrangement, continuaient d'avancer, c'était sans doute l'effet du médicament, je suis parvenue à la hauteur de Zébranski, j'ai tout fait pour éviter son regard, je comptais pénétrer dans la classe la tête haute sans marquer d'arrêt, mais il s'est extrait du petit groupe qui l'entourait pour venir jusqu'à moi.

— Bonjour madame, a-t-il fait d'un ton absolument normal, sans provocation apparente (j'aurais pu dire *gentiment* s'il ne s'était agi de Zébranski), vous allez bien?

Et comme si cette phrase-là, ce ton-là n'étaient pas déjà assez surprenants, je me suis entendue répondre, Très bien Zébranski, merci, et pour vous, cette fracture du poignet, c'est réglé?

Il a hoché la tête, Ce n'était pas grand-chose vous

170

savez. Puis il a ramassé son sac, une sacoche couverte de dessins de tête de mort, et a fait signe aux autres de le suivre. Les élèves sont entrés dans la classe derrière lui et, tandis que je posais ma veste sur le dossier de ma chaise, ils se sont assis calmement et ont sorti leurs livres et leurs cahiers sans même que j'aie à le demander.

MILLIE

Tout a basculé sur une coïncidence. C'était une de ces journées électriques, le temps était capricieux, les averses alternaient avec les éclaircies, les rues étaient encombrées et les conducteurs sur les nerfs. J'observais la ville à travers la baie vitrée du bureau, profitant du calme relatif qui s'était installé depuis le début de la semaine : Léandrie et Sarah étaient en formation et Violette, qui nous avait appris sa grossesse, avait été mise en arrêt brutalement huit jours plus tôt après des saignements suspects. J'étais donc seule avec Sandra, qui, dépourvue de sa garde rapprochée, se montrait un peu moins agressive à mon égard.

Ce matin-là, il était prévu qu'elle enchaîne deux réunions, l'une à l'autre bout de la ville dès neuf heures et l'autre à onze heures trente dans nos locaux avec M. Weimin, un important négociateur chinois. Je lui avais proposé de me charger du premier rendez-vous, un simple point des affaires en cours avec Vauzelles, sous-traitant de longue date, mais Sandra avait refusé, préférant s'astreindre à un gymkhana périlleux plutôt que me laisser la possibilité d'entrer en première ligne – même sur un sujet comportant peu d'enjeux.

Vers dix heures trente, j'avais préparé la salle de réunion, disposé café chaud, thé vert, chouquettes et fruits séchés, installé des blocs-notes et des stylos Bic siglés Robertson, aéré la pièce. À dix heures quarante-cinq, l'hôtesse d'accueil a appelé : M. Weimin et ses collègues attendaient à la réception.

J'ai essayé de joindre Sandra, sans succès ; son téléphone était sur messagerie. À onze heures cinq, elle n'était toujours pas arrivée et l'hôtesse a rappelé en chuchotant : M. Weimin s'impatientait. J'ai examiné les options qui s'offraient à moi : prévenir Robertson en personne, mais ayant croisé son assistante dans la petite cuisine où nous préparions les collations, je savais que celui-ci était déjà occupé avec un client anglais, demander l'aide de Brégeon, l'autre directeur commercial et néanmoins rival déclaré de Sandra, qui cherchait depuis un moment à s'emparer des comptes asiatiques, prier M. Weimin de patienter encore (il était maintenant onze heures et quart), ou enfin lui expliquer que Sandra avait eu un problème de dernière minute et que j'allais la remplacer au pied levé – ce qui constituait une prise de risque majeure quant aux conséquences possibles, mais aussi une opportunité unique de m'extraire de la position dans laquelle mes collègues me tenaient asservie depuis le premier jour.

Qui pouvait savoir quand une telle conjonction favorable se reproduirait, et si même cela se produirait avant que je prenne ma retraite ? Mon choix était fait.

J'ai noué mes cheveux, tiré sur ma jupe et boutonné mon chemisier, puis je suis allée me présenter à M. Weimin en tant que bras droit de Sandra, *Ni hao*, l'ai-je salué en inclinant la tête, ce qui a aussitôt détendu l'atmosphère. J'ai poursuivi en anglais (je ne maîtrisais que deux mots en mandarin, bonjour et merci), pour l'assurer que je pourrais répondre à toutes ses questions, ce qui était le cas puisque j'avais moi-même travaillé et préparé le dossier dans ses moindres détails pour le compte de Sandra.

Après une courte hésitation, M. Weimin a souri : j'ai su qu'il était prêt à me suivre.

Le rendez-vous a duré une heure. J'ai exposé notre offre et pris sur moi d'ajouter une clause sur les délais de paiement susceptible de dégager une trésorerie importante pour Robertson.

À chaque instant, tandis que je notais des chiffres sur le *paperboard* et développais mes explications, je redoutais de voir Sandra faire irruption dans la salle, mais la porte est restée close et, après une poignée de main scellant notre accord, M. Weimin, ses collaborateurs et moi avons terminé notre thé en échangeant des considérations communes sur la crise européenne. Mes interlocuteurs sont repartis satisfaits, non sans se féliciter une dernière fois de l'entente entre nos deux entreprises.

Mon cœur frémissait encore de ce coup d'éclat lorsque Sandra a surgi, rouge, essoufflée, hors d'elle.

– Tu ne devineras jamais ce qui m'est arrivé, a-t-elle pesté. En sortant de chez Vauzelles, qui pour tout arranger m'a reçue avec une demi-heure de retard – tu peux le croire ? une demi-heure ? –, heureusement j'avais prévu une marge, enfin ça me laissait tout juste le temps de revenir ici, eh bien première surprise : j'avais crevé ! Un clou dans le pneu avant ! Mais attends la suite : un passant me propose son aide, m'assure que c'est un jeu d'enfant et qu'il aura changé ma roue en moins de cinq minutes. Sauf qu'il faut une clé spéciale pour démonter la jante, c'est le problème avec ces voitures haut de gamme, des antivols partout, j'aurais mieux fait d'acheter une Twingo ! Bref, je la cherche dans la boîte à gants, impossible de la trouver, et voilà la meilleure : lorsque je me relève, le passant a disparu et mon sac avec ! La pourriture ! Le salopard ! Je retourne chez Vauzelles pour essayer de te prévenir, il fallait intercepter Weimin à son hôtel, déplacer le rendez-vous dans l'après-midi, mais impossible de te joindre – je me demande ce que tu faisais au

passage –, le standard m'a fait poireauter un siècle!
Au final j'ai dû laisser tomber pour aller porter
plainte au commissariat, d'autant que j'avais les
clés de mon appartement dans mon sac, si ça se
trouve ce sale type était déjà en route pour me
cambrioler! Il a fallu qu'un flic m'offre généreusement un ticket de métro pour revenir jusqu'ici,
sinon, je serais encore en train de courir dans la
rue! Je suis sacrément dans la merde ma chère, tout
a disparu, mon téléphone, mes papiers, j'avais tout
dans mon sac, la totale, non mais tu imagines? Et
Weimin? Un problème de plus! Il doit être furieux,
il va falloir rattraper le coup, sinon Papa Dieu nous
pétera une durite, qu'est-ce que tu lui as dit pour
m'excuser?

Elle s'était laissée glisser sur la chaise, comme
abandonnée l'espace d'une seconde. J'ai pris une inspiration pour lui annoncer la nouvelle, La réunion
on l'a maintenue Sandra, Weimin ne pouvait pas la
déplacer, j'ai hésité à appeler Brégeon mais tu m'as
assez prévenue qu'il fallait s'en méfier, qu'il essayait
de te piquer le business, alors j'ai préféré assurer.

– Tu as fait ça! a éructé Sandra, subitement
montée sur un ressort, est-ce que tu es devenue
folle? Weimin est un interlocuteur majeur pour
Robertson, il fallait annuler, il va se sentir humilié,
être reçu par une secrétaire, quelle erreur, ça c'est
très grave Zelda! Oui ça c'est une faute grave!

Dans ses derniers mots, j'ai senti une part de satisfaction, *elle a fait une faute grave, la huitième merveille du monde*, ça y est on la tient la boulette, on va la foutre dehors, mais je lui ai tendu le dossier et le mémo-deal signé par Weimin, Non, non, Sandra, Weimin n'a pas perdu la face, il ignore que je ne suis qu'un sous-fifre, la dernière roue de ton carrosse, voilà, tout est bouclé.

Sandra parcourait la feuille des yeux, blêmissant au fil de sa lecture, Comment as-tu osé, mais... quoi ? Qu'est-ce que c'est que ça, tu as modifié les délais de paiement ? Et il a signé... ça ?

Elle pouvait fulminer aussi longtemps qu'il lui plaisait, lorsqu'elle a reposé la feuille sur la table, elle et moi savions exactement ce qu'il en était : le point était en ma faveur.

J'ai couru jusqu'à la boulangerie. Monsieur Mike était accoudé devant sa bière, je ne sais pas ce qui m'a pris, je lui ai sauté au cou, C'est un grand jour Monsieur Mike, il faut que je vous raconte, ces deux réunions dont je vous ai parlé hier, vous vous souvenez ? Sandra avait refusé que j'aille chez Vauzelles, c'était pourtant l'occasion, ce n'était pas grand-chose, une toute petite réunion avec quelqu'un de pas très important, eh bien voilà ce qui s'est passé, un imprévu, un cas de force majeure, la deuxième réunion, la grande responsabilité, le gros client, elle n'a pas pu, c'est moi Monsieur Mike, c'est moi qui ai assuré avec les Chinois, et quand je dis assuré, c'est pas un euphémisme !

Il était content pour moi, il m'a commandé un café, On va trinquer à ton succès, oh pardon, qu'est-ce que je dis là – et c'est comme ça qu'on a décidé de se tutoyer.

Tout s'est accéléré dès le lendemain ; Weimin était charmé (selon ses propres termes), il avait demandé à me conserver comme interlocutrice principale. Robertson m'a convoquée, félicitée, Je le savais Zelda, vous n'êtes pas n'importe qui, je ne vais pas vous laisser croupir dans un poste sous-dimensionné, vous avez une idée de ce que va rapporter votre clause de trésorerie avec les Chinois ? Parce que Weimin va nous servir de jurisprudence ! Quand les autres sauront qu'il a accepté ces conditions, tout le monde suivra, Weimin, c'est une référence ! Les petites rivières font les grands fleuves !

Il m'a nommée directrice commerciale rattachée au président, autrement dit il m'impliquait sur ses propres dossiers, ce qui signifiait que je changeais non seulement de bureau et d'étage sur-le-champ, mais aussi de salaire, sans compter l'intérêt des sujets que j'aurais à traiter.

Cela semblait miraculeux, ça l'était d'ailleurs et le soir, en rentrant, je pensai à cette phrase de l'infirmière à l'hôpital, *vous avez une bonne étoile Zelda*, mais j'éprouvai aussi une anxiété terrible parce qu'une fois encore, ma promotion reposait sur un malentendu et un mensonge : si Robertson tenait ma négociation pour une performance, c'est qu'il pensait que Weimin avait rejeté par le passé la fameuse clause sur les délais de paiement. Ce n'était pas le cas. Sandra, qui craignait l'échec, avait simplement évité de la présenter jusque-là et prétendu pour se couvrir que Weimin refusait toute discussion. Je n'avais rien réussi d'extraordinaire, c'est elle qui avait sous-évalué la souplesse des Chinois.

Et puis quand bien même j'aurais réalisé une prouesse, Robertson m'aurait-il propulsée de cette manière s'il n'avait pas été fasciné par ma supposée amnésie ?

Malgré ma décision d'aller de l'avant, les remords, la sensation de ne pas être digne de mon destin, de tricher pour lui échapper continuaient à me tourmenter. Parfois, j'avais le sentiment de me construire avec les pierres de *leur tombeau*.

— Tu as l'air fatiguée, s'était inquiété Monsieur Mike, voilà ce que c'est de grimper les échelons quatre à quatre : tu en fais trop. Ou si c'est autre chose, dis-moi ce qui ne va pas. Les quatre commères ?

Violette était toujours en arrêt maladie et le demeurerait probablement jusqu'à son accouchement. Je n'avais plus aucun sujet commun avec Sandra, Léandrie et Sarah. Je les croisais dans les couloirs, elles me lançaient des regards méprisants, de ceux qu'on réserve à la maîtresse du patron. La secrétaire de Papa Dieu m'informait des bruits qu'elles dispersaient dans les étages tout en m'engageant à ne pas en tenir compte.

— Comme si la vie n'avait pas été assez rude avec vous… L'envie est un poison mortel !

Je travaillais d'arrache-pied, cherchant la paix et l'oubli dans la concentration, mais la fin de la journée sonnait le retour de l'angoisse : à l'Atelier, j'étais plus que jamais l'objet de toutes les attentions. Jean avait encore une fois débouché le champagne en apprenant ma promotion, me prenant les mains, répétant combien il était fier de moi, Vous êtes la plus belle réussite de l'Atelier Zelda, s'inquiétant aussi – Toujours aucun signe du passé ? –, proposant de voir de nouveaux spécialistes – un Américain, des nouvelles thérapies prometteuses, tout vous sera offert Zelda ! –, suggérant des activités – il était question d'ouvrir un cours de culture générale de manière imminente, C'est on ne peut plus approprié dans votre cas, vous allez faire le plein de connaissances, reconstituer le socle !

Plus il me célébrait, plus il m'entourait, plus j'étouffais, ignorant si le malaise que je ressentais était seulement lié à mon imposture ou à cet intérêt croissant, pressant, Jean omniprésent à l'Atelier, sa main sur ma taille lorsqu'il m'accompagnait faire le tour des bureaux comme pour m'exhiber, et puis il y avait le regard des autres, celui de Sylvie surtout, inquisiteur, lorsqu'elle me tendait des papiers, comme si elle savait, elle sentait le subterfuge, comme si elle en cherchait la preuve dans mes yeux.

— Ce n'est pas une mauvaise personne, l'avait défendue Monsieur Mike, un jour où j'exprimais mes doutes. C'est seulement la vieille bonne amoureuse du curé. Et le curé te regarde comme un prodige, alors…

— C'est exactement ça qui me gêne…

— Mais tu *es* un petit prodige! Une fille qui réchappe d'un accident pareil, qui reste amnésique et réussit à rebondir de cette manière, c'est exceptionnel, tu reviens de loin!

— Toi aussi, tu reviens de loin…

Une ombre avait traversé son visage, brièvement.

— Pas aussi loin que toi.

Depuis quelque temps, il m'arrivait de passer le soir dans sa chambre pour me changer les idées, surtout si nous ne nous étions pas vus le midi. Car désormais, il n'était pas rare que je déjeune avec Robertson ou avec des clients.

Mike était devenu mon repère, mon ami, mon premier véritable ami — si on excepte le vieux Kanarek et mes camarades de l'école primaire, ceux-là avaient disparu de ma vie dès le lendemain de la *tragédie,* probablement tenus à distance par leurs parents.

181

Il était différent de tous les autres. Avec lui, il n'y avait pas de faux-semblant, pas de circonvolution, pas d'emballage trompeur. Monsieur Mike disait ce qu'il pensait et pensait ce qu'il disait avec sincérité ; il truffait son langage d'expressions drolatiques et irrésistibles héritées de son passé militaire, *elle va se faire bomber la guérite, elle a repassé ma chemise dans la gueule d'une vache* ! Et il y avait cette sensation de seconde vie, de seconde chance qu'on partageait, cette légèreté qu'on ne trouvait qu'ensemble parce qu'avec les autres, c'était du lourd, du sérieux, de l'important, on nous attendait au tournant, il fallait être à la hauteur des espoirs placés dans nos petites personnes.

C'est à lui que j'ai annoncé ma décision en premier.

— Un appartement ?

— J'en ai les moyens maintenant. Et puis j'ai besoin d'air. Ici, j'ai parfois l'impression d'être prise en filature. Je veux pouvoir vivre comme je l'entends, sans avoir à calculer.

Il m'avait lancé un regard dubitatif, il trouvait que j'exagérais, forcément il ignorait l'effort cérébral permanent qu'exigeait mon mensonge, contenir mes souvenirs, mes habitudes, mes réactions.

— Tu vas nous manquer.

— Ce ne serait pas honnête de garder cette chambre. D'autres en ont plus besoin que moi.

— C'est Jean qui t'a dit ça ?

Jean, sûrement pas. Sylvie, oui. La veille, alors que je prenais une bouteille d'eau au distributeur dans le hall, elle avait surgi, Eh bien Zelda, encore bravo pour votre ascension chez Robertson, c'est une excellente nouvelle, pour vous comme pour nous, même si nous serons tristes lorsque vous allez nous quitter.

— Vous quitter?

— Eh bien oui, c'est le lot de ceux qui passent par l'Atelier! Nous ne sommes qu'un espace de transit, vous savez, ce n'est pas facile pour nous, on s'attache aux gens, mais il faut bien les laisser s'envoler, ne serait-ce que pour laisser la place aux suivants, si vous connaissiez le nombre de dossiers en souffrance...

Je savais les intentions de Sylvie mélangées, mais sa conclusion était juste, et, après tout, elle m'arrangeait.

— Vous avez raison Sylvie, je vais chercher quelque chose dès demain.

Monsieur Mike a écrasé sa canette de bière, Tu vas me manquer, a-t-il répété en grimaçant.

Je l'ai embrassé sur la joue, Mais non, Mike, je ne te manquerai pas, parce que nous ne cesserons pas de nous voir, à moins que tu assassines ta pauvre mère, et tu sais quoi, si tu l'assassinais je t'aiderais à cacher son cadavre et nous nous verrions quand même!

L'atelier des miracles

Il m'a rendu mon baiser, c'était un baiser furtif, pour la première fois depuis que je le connaissais je le sentais gêné et cette gêne-là m'a chamboulée, il a réajusté sa veste, soupiré, et enfin souri :

— Tu peux compter sur moi pour t'aider à déménager.

Monsieur Mike

J'étais triste et heureux. La Petite et moi on n'avait jamais été aussi proches, et voilà qu'elle s'éloignait – physiquement, géographiquement. Je n'étais pas surpris, tout ça c'était logique, et puis je voyais bien qu'elle n'était pas à l'aise, elle semblait toujours sur ses gardes, peut-être que c'était l'amnésie, je me souviens d'un gars qui avait pris un éclat d'obus dans la tête, il avait perdu la mémoire lui aussi et il avait des hallucinations, il entendait des voix, des musiques, il était devenu complètement parano, après trois semaines de régime le médecin l'avait envoyé en H.P. bouffer du ragoût de Xanax, depuis c'était silence radio sous la voûte crânienne.

Elle m'avait embrassé sur la joue, regardé droit dans les yeux, Mike, quelqu'un comme toi, j'imaginais même pas que ça existait, alors tu penses si

185

je suis loin de te lâcher. Voilà ce qu'elle m'avait dit ou à peu près, alors que je lui proposais un coup de main pour son déménagement – des mots pareils ça m'a fait bouillir les coronaires, mais j'ai réussi à rester stoïque, elle n'a rien vu du tout.

C'est Jean qui l'a mal pris. Il a fait mine de s'en contrefoutre sur l'instant, mais juste après qu'elle est sortie de son bureau, il a appelé Sylvie, «Meeeerrrteeeeens!», puis quelques instants plus tard ça a été mon tour, «Monsieur Miiiiiiiiiiiiiiiike!».

Sylvie et moi on a passé une heure à supporter une tornade de reproches, soi-disant on ne bossait pas correctement, les résultats n'étaient pas suffisants, bref, je n'ai pas discuté bien que ça me démangeait, parce que j'apprécie pas des masses qu'on mette en cause mon professionnalisme, tous les objectifs qu'on m'avait assignés je les avais atteints, oui monsieur, mais bon, c'était clair qu'il avait besoin de passer ses nerfs, et puis j'avais trop de respect pour le juger.

Je me suis borné à demander si les consignes changeraient du fait de son départ, mais Jean a secoué la tête, Absolument pas Monsieur Mike, on ne change rien pour le moment, ce n'est pas parce que Mademoiselle décide d'aller vivre ailleurs que le dossier se referme, notre mission n'est pas terminée, elle n'en a peut-être pas conscience mais il lui faut du temps, et puis il y a cette satanée amnésie, on ne peut pas prendre le risque de la laisser dans la nature sans filets et que sa mémoire se réveille, en conclusion, vous poursuivez, surveillance et protection.

— Franchement, bon débarras, m'a fait Sylvie plus tard dans la soirée. Je n'en pouvais plus de cette fille, c'était devenu le centre du système solaire... Tout ça pour un nez retroussé.

— C'est vrai qu'il est drôlement joli, ce petit nez-là.

— Il ressemble surtout à celui de la défunte Mme Hart! Elle est morte bien avant qu'il m'embauche – paix à son âme –, mais j'ai vu les photos : il y a quelque chose. Alors si tu veux mon avis, ça aide à occuper la place de favorite... Allez, du balai, on n'a pas besoin de fantômes par ici!

— Ne te réjouis pas, ma belle, t'as pas fini de la voir. Elle reviendra au moins une fois par semaine, Jean lui a demandé d'assister au cours de culture générale.

— Eh ben ça, c'est la meilleure! La paonne chez la cuculidé, ça va faire du monde dans la volière...

— La quoi?

Elle a souri, fière de son bon mot, Les cuculidés, Mike, c'est cette espèce d'oiseau qui pond ses œufs dans le nid des autres, j'aurais pu dire coucou, mais cucu lui va tellement bien... Ah le temps qu'on aura perdu sur celle-là... Tu parles d'un investissement solide! Au moins avec Zelda, on sait que ce sera payant.

Payant? Comment ça j'ai questionné. Et puis c'est quoi un investissement solide, tu peux préciser?

Elle a froncé les sourcils, Non mais t'es con ou tu le fais exprès? Écoute Mike, comment veux-tu qu'on fonctionne, on est un réseau d'entraide, entrai-de, réfléchis merde, on te donne et tu rends, bien sûr que toi ou moi on n'est pas concernés, on est des permanents, des salariés, mais le principe il est là, on fabrique des vies, on fait du sur-mesure, tout ça coûte cher figure-toi, il faut des moyens, en cash et en nature! Jean n'a pas de planche à billets, et les subventions, ça ne fait pas tout, même si on est gâtés de ce côté-là.

J'ai pris le temps de réfléchir, *un réseau?* C'est ça l'idée, j'ai reformulé, tu dois rendre ce que l'Atelier t'a donné. Donc, rien n'est gratuit. Donc un jour, Jean, ou toi, ou un autre membre de l'Atelier, ira voir Zelda avec une facture…

Sylvie m'a coupé, Ce que tu peux être négatif, mon pauvre, rien que le ton sur lequel tu dis ça, il n'est pas question de facture, il est question de partage! Si tu savais le nombre de gens qui nous doivent tout, ceux qu'on sort du désert à moitié morts, figure-toi qu'ils sont heureux de contribuer, c'est comme ça que la roue tourne! C'est une idée de génie, Jean est un génie, tiens, au fait, devine un peu où était Robertson il y a dix ans?

— Je vois : Robertson a embauché Zelda parce qu'il en devait une à Jean… Je croyais qu'ils étaient simplement amis.

— Nous sommes bien plus que des amis ! Et dis-moi si ce n'est pas magnifique. Robertson a trouvé une collaboratrice de premier plan, Zelda a trouvé un sens à sa vie. Tout le monde est gagnant.

— On l'a un peu aidée, aussi.

— On s'aide tous, et alors ? On donne un coup de pouce quand la vie ne s'en charge pas ! Où est le problème ? Jean n'aurait jamais envoyé Zelda à Robertson s'il avait pensé que ce n'était pas le bon profil. Et s'il s'était trompé, si Zelda n'avait pas fait l'affaire, Robertson ne l'aurait pas gardée. Jean aurait trouvé un autre job dans le réseau, plus adapté à ses possibilités. Personne n'usurpe sa place avec l'Atelier. Enfin, presque personne… De temps en temps, on n'échappe pas à un cuculidé… Crois-moi Mike, tu as de la chance d'être ici. Seul, tu ne t'en serais pas sorti. Tu serais encore sous ton porche en attendant de crever d'une cirrhose du foie. En arrivant à l'Atelier, tu as divisé par dix ta consommation d'alcool, tu t'es réinséré dans la société, tu as retrouvé le respect de tes pairs… Alors ne cherche pas la faille, la critique, nul système n'est parfait.

Elle s'est penchée dans mon cou, s'est radoucie, Si on changeait de sujet, j'ai quelques caresses en réserve, mais je n'étais pas d'humeur, On verra ça demain ma puce, je vais marcher un peu – je l'ai plantée là dans ses draps à fleurs.

J'avais besoin de réfléchir à tout ça, ce gigantesque puzzle dont j'étais l'une des pièces, l'entraide, la belle idée, le réseau ramifiant sans doute à l'infini, Jean était un génie mais pourquoi alors étais-je aussi mal à l'aise, qu'est-ce qui n'allait pas dans l'Atelier?

J'ai fait demi-tour brusquement, je suis retourné chez Sylvie, j'ai sonné, elle a ouvert en peignoir, J'ai un problème, ai-je répondu, il y a quand même un problème avec l'Atelier, à partir de quel moment ces gens savent-ils qu'ils font partie du jeu?

Est-ce qu'on fixe une limite? Attend-on qu'ils le découvrent? Est-ce que certains vivent et meurent sans jamais connaître le détail de ce qu'on a fait pour eux? Sans jamais savoir qu'on a conçu et construit leur bonheur sur plans?

– Stop, stop, stop! a coupé Sylvie. Un plan… Tu as le don pour exagérer… Toutes les vérités ne sont pas bonnes à dire, en effet – à propos, tu as signé une clause de confidentialité que je t'engage à respecter. Réfléchis une minute, les gens sont au bout du rouleau, au fond du trou lorsqu'on les récupère, alors tu penses si leur avis, on le connaît d'avance.

Elle a soudain attrapé le col de ma veste, approché son visage, Rien ne t'a été caché, Mike, tu as accepté de plein gré d'entrer dans ce que tu appelles *un jeu*! C'est un peu tard pour discuter des détails.

Elle avait raison. Depuis le début, j'avais intégré le dispositif sans renâcler, je n'étais pas fier à cent pour cent de ce que je faisais, mais j'avais préféré éluder les questions gênantes pour satisfaire ma propre soif de m'en sortir, ma soif d'exister, ma soif de respect.

Elle avait raison : qu'y avait-il de mal à faire le bonheur d'autrui ? Qui sait où serait la Petite si Jean ne l'avait pas prise à l'Atelier ? Aussi bien, elle se serait jetée d'un pont après avoir erré d'un vide à un autre.

Sylvie avait raison, oui, tout cela n'était qu'une convergence organisée d'intérêts, un système huilé et efficace qui comportait quelques imperfections, mais comme aimait le répéter ma grand-mère, on ne fait pas d'omelette sans casser des œufs.

– Excuse-moi ma belle, on n'en parle plus, d'accord ? Je crois que je vais aller écluser un godet ou deux et dormir une bonne nuit.

– C'est sûrement la meilleure chose que tu aies à faire. On se voit à l'Atelier.

Tandis que je marchais vers le bar le plus proche, la silhouette du farfadet est venue danser devant mes yeux, la barre de fer, le froid du bitume, l'humidité de ma cave, Natalie, le tissu du treillis, le bruit sifflant des balles, les robes à fleurs de ma grand-mère, ma chambre à l'Atelier, le visage radieux de la Petite après sa réunion avec Weimin, sa joie quand elle avait trouvé un appartement, Je suis libre, m'avait-elle chanté à tue-tête ce jour-là, je suis libre !

Tout ça valait bien quelques sacrifices.

MARIETTE

Les premières semaines, je me suis réveillée systématiquement en sueur, comme si rien n'avait changé dans ma vie. C'était si difficile à croire, après tant d'années de glissement, de chutes, tant d'années passées à s'enfoncer. Et pourtant si, cette époque semblait bel et bien révolue. Comme si cet accident – je ne trouvais toujours pas de mot adéquat pour le définir – avait remis les pendules à l'heure pour tout le monde. Les élèves avaient cessé de me harceler, mes fils avaient mûri, même Charles, dont je guettais les dérapages, se montrait différent – et c'était sans doute le plus étonnant.

Il m'arrivait de penser qu'il était jaloux de Jean. Après tout, je passais beaucoup de temps avec cet homme qu'il n'avait jamais vu.

J'étais retournée à l'Atelier quelques jours après

avoir repris mon travail, pleine de gratitude. Jean n'était pas surpris.

— Cet épisode aura servi de révélateur, aussi bien pour vous, qui vous étiez laissé enfoncer, dominer, qui aviez oublié le sens du verbe exister, que pour les autres, qui seront désormais plus respectueux à l'égard d'autrui. Je suis ravi pour vous, d'autant que vous n'avez pas toujours été facile à convaincre, Mariette !

Je regrettais d'avoir parfois douté de lui. Cet homme extraordinaire avait changé ma vie en me rendant plus forte. Il m'avait permis de tirer le meilleur d'une situation que je croyais désespérée. Je lui devais d'avoir repris confiance en moi, en mon métier, en mon avenir.

Quant à Zébranski, j'éprouvais presque de la compassion à son égard : il n'était qu'un gosse en mal de repères, pas un psychopathe en puissance. À voir son profil bas – il était désormais attentif en cours et disparaissait dès la cloche sonnée en rasant les murs –, j'avais dû lui flanquer une sacrée trouille. Mon travail au collège portait ses fruits, les élèves avaient pratiquement rattrapé leur retard et se préparaient au brevet. Bien sûr, il y avait toujours les cancres, les distraits, les farceurs, mais je ne m'en plaignais pas, j'avais ce que j'avais toujours souhaité – une classe dans la norme, un mélange d'agacements et de plaisirs.

— Vous voyez, avait conclu Jean, c'est tout simple. Ils ont changé, et vous aussi, qui aviez tendance par épuisement à grossir le trait. Chacun a fait sa part du chemin et repris sa place.

Forte de cette énergie neuve, je m'étais plongée avec enthousiasme dans les cours bénévoles. Une vingtaine d'adultes de tous les horizons s'étaient inscrits, parmi lesquels Zelda Marin. Bien que nous ayons vécu un temps sous le même toit, nous nous étions seulement croisées — mais comme tout le monde ici, je connaissais son histoire, l'accident, l'amnésie, et son parcours à l'Atelier.

Dès le premier cours, j'avais remarqué son attitude singulière. Elle parlait très peu. Par moments, son regard s'échappait, comme si elle décrochait du fil commun. Je me sentais alors remplie de compassion. Pouvait-on tenir longtemps sans amarres ?

Elle était gentille et douce, j'avais envie de l'aider, la prendre dans mes bras comme la fille que je n'avais pas eue, la rassurer, et puis je savais aussi que Jean comptait sur moi, il espérait que mon cours, mes mots pourraient contribuer à lui faire recouvrer la mémoire — c'était un motif supplémentaire de m'investir avec elle, j'aurais fait n'importe quoi pour lui plaire.

Il faut dire que nous nous étions rapprochés depuis que Jean, pour ma plus grande joie, avait décidé de participer à la classe. Nous avions défini le programme ensemble et, selon les jours, il écoutait

194

ou il intervenait. Plus le temps passait, plus il me fascinait. Je comptais les heures qui me séparaient du cours suivant. Lorsqu'il entrait dans la salle et s'asseyait sur le bureau, à côté de moi, lorsque je sentais son torse frôler le mien, mon cœur s'accélérait. Lorsqu'il s'adressait aux élèves en me prenant à témoin, je chavirais. J'étais tombée amoureuse.

Les choses en seraient pourtant restées là si Sylvie s'était tue. J'avais tant d'admiration pour lui, jamais je n'aurais pu imaginer quoi que ce soit entre nous, mais voilà, un jour où j'insistais pour qu'elle lui transmette malgré l'heure tardive le plan d'un cours à venir, elle avait eu cette réflexion en ronchonnant, Oh et puis de toute façon, je ne crois pas que ce soit le contenu du cours qui l'intéresse le plus, vous voyez ce que je veux dire je suppose?

Sous le choc, j'avais filé m'asseoir sur le petit banc de pierre installé devant la porte de l'Atelier. Vous voyez ce que je veux dire?

Comme une idiote, je n'avais rien vu, non. Son bras sous le mien lorsque nous nous promenions, les compliments sur ma beauté, sa patience infinie. Je n'avais rien vu, évidemment – comment aurais-je pu me douter qu'un homme aussi extraordinaire que lui pourrait s'intéresser à une femme aussi banale que moi?

Vous voyez ce que je veux dire? Sylvie venait de me faire passer un message, cela ne faisait aucun doute. Jean assistait aux cours *pour moi*, pour passer du temps *près de moi*, pour construire quelque chose *avec moi*, elle en était malade bien sûr, amère, elle aurait voulu être à ma place, son regard sévère sur mes seins ronds l'avait trahie (je lisais dans ses pensées, *la salope elle est drôlement bien pour son âge*), elle regrettait déjà sa gaffe lorsque la phrase avait fusé, mais c'était trop tard : maintenant, je savais.

Ce soir-là, je n'ai pu me défaire de son image, sa paume sur mon front, le brun doré de ses iris, sa voix grave, tandis que me revenaient ses phrases dont je percevais maintenant le double sens, Je vous redonnerai le goût de vivre Mariette, je vous redonnerai le goût d'aimer.

Jean n'était pas un canon de beauté, aucune femme ne se serait retournée sur lui dans la rue, mais il suffisait qu'il vous parle pour créer un champ magnétique capable de perdurer indéfiniment. Jean était extraordinaire.

— Tu as la tête ailleurs, a ronchonné Charles durant le dîner, c'est agaçant, les garçons et moi on t'ennuie ? Dis-le à la fin !

Depuis mon retour à la maison, l'état de grâce s'était poursuivi. Charles semblait décidé à faire des efforts pour être agréable : il n'y avait plus ni réflexion humiliante ni plaisanterie douteuse. Sans doute me sentait-il détachée, une situation inédite à laquelle il n'avait pas de réponse tactique à offrir.

Tout au plus montrait-il parfois un bref mouvement de jalousie – ma coquetterie récente ne lui avait pas échappé.

Quant à moi, la révélation de Sylvie continuait de me bouleverser. Toutes mes pensées convergeaient vers Jean. Comment allais-je m'habiller le samedi suivant ? Que choisirais-je comme thème d'étude ?

En cours, je lui lançais des invitations subliminales, comme lorsque j'abordais le rapprochement Est-Ouest ou le mouvement hippie, plantant mes yeux dans les siens et multipliant les termes explicites, audace, risque, fusion des esprits, langage et programme commun, élan de liberté, aspirations légitimes. Je cherchais toutes les occasions de lui plaire, de nourrir ses sentiments. Je m'étais préparée à être patiente, persuadée qu'un homme tel que lui n'avouerait pas facilement ses sentiments, encore moins à une femme mariée.

Tout a basculé deux semaines plus tard. Alors que je venais faire le point dans son bureau, je l'avais trouvé soucieux, marchant de long en large, les bras croisés serrés contre le corps.

– Zelda nous quitte. Elle prend un appartement. Au moment où nous parlons, elle termine ses cartons.

– Ah ? Eh bien c'est plutôt une bonne nouvelle, non ? Un oiseau s'envole du nid !

Il a marqué une pause comme s'il cherchait ses mots, Oui Mariette c'est bien, enfin c'est tout de même très tôt, bref, ce n'est pas la question, Monsieur Mike devait l'aider à déménager et voilà que j'ai dû l'envoyer aux urgences, il a vomi du sang, Monsieur se croit indestructible, il a une rate en moins mais juge superflu de suivre son traitement, voilà le résultat! Cerise sur le gâteau, Mademoiselle tient à emménager malgré tout, elle prétend qu'elle se débrouillera, qu'elle ne peut pas décommander la camionnette, et moi qui ai cette conférence des associations sur les bras, je n'ai même pas encore écrit mon discours, non, franchement, tout arrive en même temps, c'est très agaçant.

Je l'ai interrompu, Voyons Jean, arrêtez de vous torturer, je suis là, je vais vous aider – saisie d'une sorte d'ivresse, j'avais posé ma main sur la sienne en parlant –, oubliez ce ridicule problème pratique, je m'occuperai de tout, la camionnette, les cartons, je suis une mère de famille, l'organisation c'est ma spécialité, et puis j'ai deux ados qui passent leur temps affalés sur un canapé, ça leur fera un peu d'exercice, alors, vous voyez? Il n'y a plus de contrariété, tout est réglé, on n'en parle plus, filez vite écrire votre discours et je m'occupe du reste.

Il m'a regardée, je sentais qu'il réfléchissait, Après tout, c'est une bonne idée, je préfère la savoir avec vous plutôt qu'avec des inconnus, merci Mariette, c'est très gentil à vous.

J'étais un peu déçue par sa réaction, j'aurais aimé qu'il me prenne dans ses bras, m'embrasse, mais enfin, il était pudique, et puis il n'avait aucune idée du défi que représentait ma proposition : j'allais devoir annoncer à Charles que je ne l'accompagnerais pas comme prévu à l'inauguration d'une aumônerie.

Il est entré dans une rage folle.
– Tu te décommandes pour aller porter les cartons d'une fille que tu connais à peine ? C'est tout le respect que tu m'accordes ? Tu sais que l'évêque se déplace pour inaugurer avec moi ? L'évêque se déplace, mais pas ma femme !

Prudente, j'ai évité de citer le nom de Jean.
– Appelle-la et dis-lui que tu ne viendras pas.
– Je ne peux pas faire ça. Elle est perdue. Elle n'a personne. Non, je ne peux pas la laisser tomber. C'est le principe de l'association, l'entraide. C'est un contrat.

Il a serré les mâchoires, Je crois qu'il est temps de sonner les arrêts de jeu, tout ça prend des proportions qui ne sont pas acceptables.
En une fraction de seconde, il était redevenu le tyran égoïste et effrayant des vingt dernières années, l'homme qui ne supportait ni le refus, ni la contradiction, il a tendu un téléphone, Appelle, je ne te le

dirai pas trois fois, ce n'est quand même pas la fin du monde.

Quelques mois plus tôt, j'aurais baissé les yeux, j'aurais dit, Tu as raison, je ne sais pas ce qui m'est passé par la tête, je vais décommander, il aurait répondu, J'aime mieux ça, par moments je me demande si tu es idiote ou si tu le fais exprès, tu es incapable de réfléchir avant d'agir, ma pauvre fille, heureusement que tu as un mari.

Mais je n'étais plus seule, je n'étais plus une quantité négligeable, j'existais, d'autres me respectaient et, mieux encore, il y avait Jean, Jean qui valait un million de Charles, Jean qui m'appréciait, peut-être même pourrais-je dire *m'aimait*, si j'en croyais l'allusion de Sylvie – et je la croyais! –, alors j'ai soutenu le regard venimeux de mon mari, et comme si des ailes me poussaient subitement, j'ai rétorqué, Eh bien si c'est la fin du monde, d'un monde, c'est la fin de ta dictature, je te l'annonce Charles, je vais demander le divorce.

Il est resté bouche bée, comme si je venais d'employer une langue inconnue et qu'il cherchait à saisir le sens de ma tirade.

J'ai réalisé subitement l'ampleur du crime de lèse-majesté que je venais de commettre, la peur m'a rattrapée, je savais de quoi Charles était capable lorsqu'on lui résistait, j'ai couru chercher les garçons, le cœur battant, allait-il me suivre, hurler, briser les vases, s'attaquer à moi?

Ils étaient sous leurs casques, isolés du monde extérieur, occupés à tirer sur des ennemis virtuels – tant mieux, ils n'avaient rien entendu.

Dans un effort phénoménal, j'ai réussi à leur demander avec calme de me suivre. J'ai attrapé mon sac et les clés de la voiture et nous sommes sortis de l'appartement. Contre toute attente, Charles était resté dans la chambre.

– Ça va, maman? a interrogé Thomas tandis que l'on s'éloignait de l'immeuble. Tu es toute pâle. Il y a un problème avec papa?

– Aucun, mon grand. Quelqu'un a besoin de notre aide, alors nous y allons.

Je venais de demander le divorce à un homme qui n'aurait dès lors plus d'autre but que de me détruire. J'avais mal au ventre, envie de vomir, mon pouls s'emballait et la température de mon corps devait avoisiner les quatre-vingt-dix degrés.

Mais il n'y avait aucun problème, vraiment aucun. Si tu savais, mon garçon.

J'étais amoureuse comme je ne l'avais plus été depuis mes dix-sept ans.

MILLIE

J'avais fini d'emballer l'essentiel de mes affaires la veille, dans une douzaine de cartons déposés à mon intention par Sylvie. À vrai dire, la moitié aurait suffi si je n'avais eu à emporter que mes effets personnels. Des vêtements, surtout. Des chaussures, quelques livres, de la paperasserie, mon ordinateur – la taille de ma chambre limitait par nature les possibilités.

Mais Jean avait cru bon d'organiser une de ses chaînes de solidarité miraculeuses et je m'étais retrouvée à la tête d'un monceau de vaisselle, d'appareils, de linge de maison et d'objets divers qui avait nécessité de louer une camionnette.

Je n'avais pas dormi la nuit précédente et j'étais à bout de nerfs. L'imminence de mon déménagement avait augmenté la pression, je voulais accélérer le temps, quitter l'Atelier le plus vite possible, enfin rompre la mise en scène et pouvoir vivre normalement. Ne plus se cacher pour nettoyer frénétiquement ce qui me passait entre les mains, laver mon sol à grande eau, épuiser en un temps record les réserves de sèche-mains – j'avais toujours cette obsession de la propreté, du blanc, du net, qu'il avait fallu dissimuler sous peine d'être taxée de folle et d'ingérable. Ne plus croiser chaque jour Sylvie, dont je sentais sans cesse croître l'animosité. Ne plus soutenir les questions et les regards apitoyés des membres de l'Atelier, bénévoles et aidés, Alors Zelda, toujours rien ? Ce n'est pas trop difficile Zelda ? Pas de migraine Zelda ? Avez-vous entendu parler de la kinésiologie Zelda ? Du *Rebirth* ?

Par-dessus tout, m'éloigner de Jean. Depuis quelque temps, nos relations avaient changé, de son côté du moins. Il trouvait mille prétextes pour me rendre visite, m'inviter à déjeuner, m'accompagner jusque chez Robertson. J'avais vu peu à peu son regard se modifier, s'alourdir, ses gestes s'égarer jusqu'à cette déclaration quelques jours plus tôt, lorsque je lui avais annoncé ma décision.

Il s'était d'abord figé, avait tenté de me dissuader en avançant des prétextes fallacieux, puis, soudain, mesurant la vanité de ses efforts, avait pâli, s'était levé, rageur, tourné vers le mur comme s'il s'adressait à un public invisible, la voix rauque, les mots hachés, Cela vaut peut-être mieux finalement, vieil imbécile que je suis, pardon Zelda d'avoir laissé mon imagination courir, mon cœur s'emballer, j'ai l'âge d'être votre père et je tremble de tout mon corps, ne m'en tenez pas rigueur, j'ai honte au fond, vous étiez le chaton abandonné sur la chaussée et vous voilà devenue une étoile, de cette étoile, Dieu sait comment, je suis tombé amoureux, amoureux fou.

J'étais demeurée interdite. Il confirmait des présomptions, des hypothèses, mais je n'étais pas préparée à cela, pas à cet aveu, j'espérais le non-dit, et voilà qu'il poursuivait, me prenait à témoin de son histoire, Après la mort de ma femme, je pensais ne plus jamais ressentir ce bouleversement, Zelda, je le désirais plus que tout, me consacrer au bonheur des autres puisque le mien n'était plus envisageable, aujourd'hui encore je m'interroge, était-ce par lâcheté ?
Nous nous étions promis de vivre et de mourir ensemble, mais je n'ai pas eu le courage, je l'ai laissée seule dans ce caveau de pierre froide, j'ai préféré croire que mon existence pouvait être utile.

La femme de Jean – Sylvie me l'avait confirmé le lendemain – était morte vingt ans plus tôt dans un accident de la circulation, dépressive, elle était gavée de médicaments, on ne sut jamais avec certitude si elle avait elle-même choisi de donner ce coup de volant qui l'avait précipitée contre un arbre, ou si elle n'avait pas pu éviter un obstacle sur la chaussée.

Quoi qu'il en soit, Jean avait considéré qu'il était seul responsable – il avait été incapable de la sauver de ses tourments.

J'avais quitté le bureau accablée, incapable de livrer une réflexion intelligente, ainsi non seulement je lui mentais et l'avais manipulé, mais en outre je lui brisais le cœur bien involontairement – au moins pouvais-je me consoler de n'avoir jamais laissé planer entre nous une quelconque ambiguïté.

Maintenant, le ventre creusé de fatigue, je terminais d'empaqueter mes dernières affaires, ma trousse de toilette, mes stylos, le chargeur de batterie de mon téléphone, mes gestes devenaient mécaniques tandis que mon esprit se perdait dans le flot trouble et furieux de mes pensées, pour la troisième fois le cours de ma vie prenait un tournant décisif, les fondations étaient posées, cela n'avait pas été sans mal, sans douleurs, sans dégâts mais voilà, j'y étais n'est-ce pas, j'y étais! Une poignée de minutes et je roulerais en direction de mon nouvel appartement, un joli studio dans un immeuble ancien.

On a frappé à ma porte, c'était sans doute cette femme, Mariette, Jean m'avait prévenue, il lui avait demandé de remplacer Monsieur Mike au pied levé et elle avait accepté bien qu'on se connaisse assez peu et qu'elle n'ait pas vraiment la carrure d'une déménageuse, il faut dire qu'elle aurait fait n'importe quoi pour lui, Mike et moi ça faisait bien longtemps qu'on l'avait compris, il suffisait d'observer son dos fléchir et ses joues rosir dès que Jean lui adressait la parole, bref, j'allais devoir faire équipe avec elle mais après tout pourquoi pas, je l'aimais bien, elle était gentille, patiente, souriante, et le plus important c'était d'avancer, partir, peu importe le compagnon de route, j'étais si fatiguée, si tendue, si pressée, alors quoi.

Mais j'ai ouvert et tout s'est arrêté : la circulation de mon sang, l'air dans mes poumons, la tension des ligaments, des muscles, l'imprégnation de l'eau, des gaz, la matière, les fluides intermédiaires, le champ d'informations, le temps, tout a disparu, je n'existais plus, j'étais morte, forcément, puisqu'ils étaient là, dans l'ombre du couloir, deux fantômes identiques, deux silhouettes vieilles et jeunes à la fois, projections fantasmagoriques, sortis du dernier des royaumes, sortis de mon cerveau fiévreux, des psychoses insolubles, des cauchemars spongieux, j'ai compris, j'ai su en les voyant les raisons de leur voyage, ils venaient me chercher, de quel droit avais-je cru leur échapper, de quel droit prétendais-je me libérer ? Mes petits, mes frères, ils venaient me chercher – j'ai hurlé.

Ils ont reculé d'un même mouvement, c'était mon cri ou bien ma voix, une voix de fer et de rocaille, ou mes yeux, l'effroi dans mes yeux, ou mes mots, mes questions, Pourquoi, pourquoi seulement maintenant, pourquoi après tout ce temps, je ne vous attendais plus!

L'un d'eux a murmuré, C'est maman qui nous a envoyés, elle ne trouvait pas de place. Maman? j'ai répété, maman? Une place? C'est maman qui vous a envoyés?

Mon crâne menaçait d'éclater, j'avais soudain si mal, la poitrine bloquée, mes amours, mes petits, mes frères, vous le savez pourtant, ce qu'on a dit était faux, vous n'êtes pas morts par ma faute, j'aurais voulu faire autrement, mais ce rideau de fumée, la morsure des flammes, le brasier suffocant, je vous aimais, je vous adorais, vos quatre bras autour de moi, votre langue étrange comprise de vous seuls, je n'étais pas jalouse, ça non, malgré l'amour exclusif de maman, malgré le ravissement de papa – qu'ils sont beaux mes garçons, qu'ils sont drôles les jumeaux –, malgré l'extase commune devant votre double perfection, je vous aimais et vous m'aimiez aussi, ce jour-là je suis morte avec vous, un peu, beaucoup, mais il ne fallait pas le dire, il ne fallait pas se plaindre, puisque j'avais survécu, c'était injuste, c'était louche même, voilà ce qu'ils ont pensé, à son âge, douze ans, c'est assez grand pour avoir des réflexes, qu'est-ce qu'elle a fabriqué la grande, qu'est-ce qu'elle a foutu? Je ne vous ai pas tués.

Je me suis relevée, étourdie, Mariette me soutenait, Allons Zelda, il faut se calmer, vous avez eu un malaise, les jumeaux, aidez-moi à l'allonger, passez-moi un verre d'eau, laissez-moi réfléchir.

— Tiens maman, a fait l'un des deux garçons en tendant un gobelet.

Maman. Une vague de larmes muettes m'a renversée, je me suis jetée dans ses bras, elle me serrait contre elle, Pardon, ai-je murmuré, c'est que j'ai cru un moment, dans la pénombre, mais c'était impossible, bien sûr, ils sont morts mes frères, il y a si longtemps, brûlés, incinérés dans l'incendie, ils auraient eu cet âge ou presque, j'avais douze ans, eux huit, qu'est-ce que je pouvais y faire? Avant de partir mes parents ont dit, Millie, tu es l'aînée, tu es la grande, on te fait confiance, on ne sera pas loin, un dîner chez des amis à l'autre bout du village, je suis restée sur le canapé du salon, ils dormaient à l'étage enfin ils dormaient ou pas, puisque le feu a pris dans leur chambre, est-ce que c'était ma faute à moi? Je regardais la télé, il y avait cette émission de variétés, des jeunes qui chantaient, moi aussi je pensais, je serai chanteuse plus tard, ou star, je serai célèbre, je dansais devant l'écran, volume à fond, quand j'ai senti l'odeur c'était déjà trop tard, j'ai essayé de monter, c'était trop tard, je les ai appelés, c'était trop tard, je suis sortie en criant, ça aussi *ils* me l'ont reproché, pourquoi tu n'as pas pris le téléphone enfin, à douze ans, pourquoi n'as-tu pas composé le numéro des pompiers, de la police, du Samu, dix minutes de perdues, tu crois que c'était malin d'aller sonner chez le voisin ?

Le voisin aussi était devant l'émission, j'ai sonné dix fois, il a fini par ouvrir de très mauvaise humeur, il tenait à son émission, j'ai crié le feu, le feu, mais c'était trop tard bien sûr, mes frères de cendres, deux petits tas de cendres.

– Millie ? a simplement interrogé Mariette.
Les garçons s'étaient reculés vers le mur, à croire qu'ils allaient l'enfoncer.

Millie, alors, c'est comme ça que vous vous appelez, Millie, a répété Mariette. Tout ça à cause des jumeaux, mon Dieu. Ou plutôt grâce à eux ?

C'était facile, elle me tendait la perche, il me suffisait d'acquiescer, Oui, c'est ça, un choc salutaire, vos deux garçons, mes deux frères, la mémoire revenue comme un geyser !
Et d'ailleurs une fraction de seconde, j'ai pensé le faire, mais je ne pouvais plus mentir encore, c'était au-delà de mes forces, poursuivre l'enlisement, poursuivre l'étouffement, je serais morte pour de bon si j'avais continué, alors je me suis appuyée sur son épaule et j'ai dit Non Mariette, ma mémoire n'est pas revenue, elle n'est jamais partie, si seulement j'avais été véritablement amnésique, si seulement

l'horreur le chagrin le désespoir avaient pu s'effacer mais jamais, pas un instant depuis mes douze ans les brûlures ne m'ont quittée, ces traces noires que je cherche à enlever jusqu'à l'obsession, j'ai seulement voulu forcer la main à l'oubli après cet accident, ce n'était rien de prémédité, un simple concours de circonstances, le feu qui surgissait comme un redoublement, je n'arrivais plus à vivre de toute façon, j'ai pensé que c'était la solution.

Elle a fait signe aux garçons de sortir, est restée silencieuse un instant, troublée, puis s'est levée, Je sais ce que pèse la culpabilité, a-t-elle soufflé, je sais le prix de la mort, de la perte, peu importe les circonstances, peu importe la part de responsabilité objective, je sais combien on voudrait annuler sa propre existence, je sais comment l'on se punit, on construit une vie de néant, on met en place son propre piège, on génère ses souffrances, à douze ans ou à dix-sept ans, on ne sait pas faire autrement.

Un sourire faible, pâle, comme la première lueur de l'aube en hiver, s'est déployé sur son visage, elle a pris ma main, Mais lorsque l'on vieillit, Zelda, on apprend à construire sa liberté, et un beau jour, on se souvient que la vie est une grâce qui nous est donnée pour que nous la vivions.

Les garçons ont frappé, passé la tête, mon cœur en miettes, mes yeux écarquillés cherchant les concordances – auriez-vous cette voix grave, mes amours, mes chéris, auriez-vous ces fossettes, cette allure maladroite d'adolescents peinant à conquérir le monde ?

– On s'en occupe de ces cartons ou quoi ? a fait l'un des deux.

– Évidemment Max, a répondu Mariette, allez, au travail, embarquez-moi tout ça.

Peu à peu, mes poumons ont retrouvé leur fonction, je respirais presque normalement en quittant l'Atelier, mon corps douloureux mais libéré de l'étau, je respirais les rires de mes frères, leurs facéties, leur course dans l'escalier, leurs grimaces, leurs câlins, leurs baisers, je respirais mes regrets et tout ce que j'avais enfoui dans l'odeur de la fumée, du bois brûlé, de la cendre froide. J'étais vivante.

MARIETTE

J'avais conduit les yeux rivés à la circulation, ce n'était pas facile de se concentrer, de rester à son affaire, je me sentais responsable, je m'apostrophais intérieurement, ne pas montrer son émotion, ne pas laisser filtrer ses questions, tenir bon, la Petite, comme l'appelait Monsieur Mike, était tellement désemparée.

Je pensais à Jean, aussi. Comment réagirait-il s'il apprenait le secret de Zelda, son cœur pur serait-il assez fort pour lui pardonner de lui avoir menti ?

Arrivés à destination, les garçons ont monté rapidement les affaires, puis se sont éclipsés pour rejoindre des amis, c'était mieux ainsi. L'appartement était clair, bien orienté, un vrai deux-pièces déjà partiellement meublé, un grand lit, un canapé, une table basse, une cuisine équipée.

Nous avons défait les premiers cartons ensemble. Comme je voyais glisser une larme sur sa joue, comme je voyais son regard perdu et les frissons qui l'agitaient, je l'ai serrée contre moi, je lui ai dit, Tu sais Zelda, c'était sûrement une journée très spéciale dans un agenda qui nous dépasse, en partant de chez moi aujourd'hui, j'ai annoncé à mon mari que j'allais divorcer, comme toi je veux affronter mes fantômes, je veux cultiver ma vie, la nourrir, la soigner, le passé ne me tirera plus vers le bas, je le renvoie à son rôle et tu en feras de même.

Elle a relevé la tête, m'a tutoyée à son tour, Tu ne l'aimais plus ?

C'était candide, une question de petite fille, c'est bien ce que nous étions à ce moment-là, elle une petite fille, moi une mère qui se devait de la soutenir, C'est bien plus compliqué que ça, ai-je répondu, je ne l'aimais plus c'est un fait, et pourtant je suis demeurée sous son joug, c'était un monstre souriant, un monstre séduisant, cruel, violent, brillant, un mystificateur, un artiste, un acrobate de la manipulation dont je suis seule à connaître le véritable visage, j'étais trop faible pour lui faire face, je me suis menti à moi aussi, j'ai justifié ma soumission puisque c'était le père de mes enfants, j'ai écouté, accepté mille fois ses excuses, cru mille fois qu'il pouvait changer, quelle erreur ! Tout ça est fini heureusement, j'ignore comment les choses tourneront, mais je sais ce que je ne veux plus jamais de lui, je sais ce que je ne veux plus jamais pour moi.

Chaque objet déballé – une assiette, un verre, un sèche-cheveux, un cadre photo – me renvoyait à mes propres souvenirs, aux années écoulées, aux éclats de voix, aux faux-semblants, la boue, la fange, le vomi, nappe phréatique nauséabonde de mon couple. Mon téléphone a vibré, je l'ai regardé machinalement, son message s'était affiché, son aboiement, sa menace, *« Je t'attends à la maison pour une explication »*, quelques mots anodins dont je possédais seule la traduction – je vais te détruire, je vais te régler ton compte, je suis en position, le corps tendu, la rage de t'écraser d'un coup de talon, petite vermine, viens me supplier de te reprendre, de t'épargner, car tu n'es rien sans moi.

J'ai senti le sang refluer, Ça ne va pas ? a interrogé Zelda. Il y a un souci ?

Un souci, non, une angoisse plutôt, il m'attend, il veut une explication, il va frapper, fort, ne t'en fais pas il ne s'agira pas de coups, il est feutré, une matraque à clous dans un gant de velours, c'est un expert, il préfère exécuter avec des mots, éventuellement avec l'argent, un jour où j'avais osé lui tenir tête devant les enfants il a fait suspendre ma carte bancaire, ils n'avaient pas le droit sans mon autorisation mais tu penses, ce charmant *M. Lambert*, cet irréprochable *M. Lambert*, ce n'est pas n'importe

qui, alors on le croit sur parole, on se plie en quatre
dès qu'il ouvre la bouche, ils m'ont coupé les vivres
aussi sec, il avait raconté une sombre histoire de
détournement que tout le monde a crue.

Zelda a réfléchi un instant, Pourquoi tu n'appel-
lerais pas Jean, tu peux sans doute reprendre ma
chambre à l'Atelier, au moins le temps d'une nuit,
le temps de réfléchir, de t'organiser, de préparer ta
défense?
— Mais tu es tout simplement géniale! ai-je jubilé,
bien sûr que je vais appeler Jean, c'est parfait, les
choses ne pourraient pas mieux s'enchâsser!

Il devait être en ligne, alors j'ai laissé un message,
*Jean, je viens de demander le divorce, une grande
décision n'est-ce pas, encore vous, le fruit de votre
travail magnifique, de notre travail oserai-je dire,
rappelez-moi c'est urgent, je suis chez Zelda, nous ter-
minons de l'installer.*

« Vous voyez ce que je veux dire. »
Il bondirait de joie en écoutant mon message. Il
saurait que la voie était libre, que rien ne pourrait
plus retenir ce mouvement qui nous poussait l'un
vers l'autre depuis l'origine. Bien sûr, il prendrait
sur lui pour ne pas se réjouir ouvertement, il n'était
pas du genre expansif, il se contenterait de m'ac-
corder la chambre de Zelda dès ce soir, attendant un
dernier signal.

Alors j'évoquerais mon besoin de parler, de me confier, le poids de l'isolement, l'autorisant ainsi à courir me rejoindre, ce qu'il ferait forcément, immédiatement.

Et enfin, enfin, *cela se produirait.*

Monsieur Mike

J'étais sorti plus tôt que prévu de l'hosto. Tout le monde s'était emballé un peu vite en parlant d'hémorragie digestive, au final il n'y avait pas de quoi claquer avant l'âge, à peine une petite infection – ça me pendait au nez depuis mon opération, faut avouer que j'étais pas un modèle de régularité côté traitement de fond. N'empêche, j'ai gagné ma journée quand l'interne de service, après le sermon de circonstance, m'a expliqué les bienfaits de la binouze. Oui monsieur, les bienfaits. Et que ça protège les artères, et que ça élimine les saloperies qui se baladent dans les reins, et que ça vous refile des vitamines, sans compter l'effet antidépresseur, mais c'est pas les gangsters des labos qui vous diraient la vérité, tu penses.

Bref, je suis rentré à l'Atelier en fin de journée, ça me démangeait d'avoir des nouvelles de la Petite, qu'elle déménage sans moi m'avait contrarié, et voilà qu'à peine posé, je vois Jean débarquer, En route Monsieur Mike, on a du boulot, il faut passer prendre Mariette Lambert chez Zelda.

Je ne voyais pas en quoi c'était du boulot, il aurait quand même pu se trouver un autre chauffeur pour une fois, ou y aller seul – d'autant qu'il avait insisté juste avant pour que je me repose –, mais au fond j'étais bien content, c'était l'occasion d'aller faire un tour chez la Petite et de voir comment elle était installée, j'allais pas refuser ça.

Dans la voiture, Jean était taciturne. Habituellement lorsque je l'accompagnais en mission, il était intarissable, il adorait commenter les dossiers en cours, les *vies relevées* (une expression que je n'avais jamais entendue que dans sa bouche), mais ce jour-là il gardait les lèvres serrées, tendu comme une crampe, j'ai bien senti qu'il y avait un problème.

Il m'a demandé de garer la voiture et m'a fait signe de le suivre. Dans l'ascenseur, j'ai commencé à m'inquiéter, il était vraiment bizarre, et toujours pas un mot, rien, sur le palier il a sonné, j'ai entendu la voix de Zelda, «Voilà, voilà!», ça m'a aussitôt changé les idées, qu'est-ce que j'étais heureux de la voir la Petite, dans son nouveau chez-elle, elle avait dû se pencher sur l'œilleton parce qu'elle a crié, Mariette, c'est Jean et Mike!

Mais elle a ouvert la porte et j'ai déchanté aussitôt à cause de ces traces sombres sur son visage, presque imperceptibles, la preuve qu'elle avait pleuré et pas qu'un peu, ça m'a tourné le sang de constater ça, elle avait pleuré pour qui, pour quoi, j'aurais bien voulu le savoir, est-ce que c'était en rapport avec l'humeur de Jean?

– Alors vous êtes venus me rendre visite? C'est gentil, a-t-elle fait d'un ton que j'ai trouvé las, mécanique, Monsieur Mike, tu n'es pas trop fatigué, et l'hôpital?

Jean m'a regardé surpris, Tiens donc, vous vous tutoyez tous les deux? C'était la première phrase qu'il prononçait depuis que nous avions quitté l'Atelier, puis il a enchaîné, Je suis venu prendre Mariette, allez me la chercher s'il vous plaît.

Lui qui était toujours en adoration devant la Petite, il lui avait à peine dit bonjour, n'avait pas cherché à entrer, n'avait même pas relevé sa mine voilée, et ça c'était franchement mauvais signe.

Mariette a traversé la pièce, elle a pris sa veste et son sac sans hésiter, j'ai pensé, au moins il y a quelqu'un ici qui sait ce qui se trame, puis elle a embrassé Zelda et a murmuré à Jean, Je vous suis, elle avait ce regard ébloui qui signifiait *Je vous suis jusqu'au bout du monde* (j'ai pensé à Sylvie, la fine mouche, elle avait vu juste), mais lui s'est contenté de marmonner, Allons-y, et c'est tout.

C'est dans la voiture que tout a éclaté. Mariette

était montée à l'arrière, Jean conservant la place du passager, elle a dit avec une gaieté suspecte, un air entendu, Alors vous avez reçu mon message? Et il a répliqué avec un ton glacial, Évidemment je l'ai eu, que croyez-vous que je fasse ici? Alors maintenant on va revenir aux fondamentaux, au raisonnable, on va surtout revenir à la maison, je vous ramène chez vous madame Lambert, vous prendrez une douche froide, vous en avez bien besoin.

Madame Lambert. Mariette a eu un mouvement brusque, comme si elle avait pris une balle en plein cœur, ses épaules ont valsé, le torse, Pardon Jean, j'ai sans doute mal compris ou c'est une plaisanterie – il était clair qu'elle avait parfaitement compris, qu'il ne s'agissait pas d'une plaisanterie, le ton de Jean était sans aucune équivoque –, comment osez-vous? Je vous annonce que je quitte mon mari et c'est tout ce que vous trouvez à répondre, vous devriez être heureux, vous devriez me féliciter d'être celle que je suis devenue, et au lieu de cela, vous voulez me *renvoye*r à mon mari! Vous devriez m'ouvrir les bras et vous me repoussez? Qu'est devenu votre intérêt? Votre bienveillance? Votre affection?

Il s'est tourné vers l'arrière, l'a considérée avec un sourire méprisant qui m'a fait mal au cœur pour elle – et Dieu sait que je suis costaud –, Mon affection Mariette? Je n'ai jamais éprouvé le moindre intérêt pour vous, sérieusement je me demande encore comment vous avez pu imaginer le contraire, les questions existentielles d'une petite bourgeoise dépressive et infoutue de se faire respecter d'une bande de collégiens de treize ans ne m'*intéressent* pas, figurez-vous.

Mariette Lambert l'écoutait les yeux exorbités tandis que je m'écrasais sur mon siège en agrippant le volant, espérant me faire oublier, Je ne comprends pas, a-t-elle bafouillé, je ne crois pas ce que j'entends, vous plaisantez, quelle affreuse plaisanterie, je vous ai confié mes blessures, vous m'avez écoutée, consolée. Ah, parlons-en, l'a coupée Jean avec ironie, un avortement, quelle épreuve, mais ma pauvre, plus de deux cent mille femmes avortent chaque année, à ce que je sache elles survivent sans le secours de l'Atelier! Il faut redescendre sur terre, vous n'êtes pas une victime, si ce n'est de vous-même! Zelda est une victime, les femmes qui écoutent vos cours sont des victimes, les gens qui meurent frappés par l'accident, la solitude, la maladie sont des victimes, mais pas vous, croyez-moi il était temps que la comédie cesse, je vous ramène chez vous.

— Une *comédie*, a-t-elle blêmi, c'est tout de même bien vous qui êtes venu me chercher dans ce Centre de santé! C'est vous qui m'avez offert cette place et promis des merveilles!

— N'en croyez rien, je ne suis pas venu vous chercher de ma propre initiative, a rétorqué Jean. Je suis venu à la demande de votre mari, parce qu'il me l'a demandé comme un service après votre pétage de plomb. J'ai accepté de faire une exception compte tenu de nos relations et de quinze ans de fidélité à l'Atelier. Vos errements le mettaient dans une situation intenable avec les élections qui approchent. Je lui avais promis de vous remettre debout, je l'ai fait, peut-être un peu trop bien, mais le divorce, vous voulez divorcer ? Soyez réaliste, enfin.

— Après tous ces efforts, a-t-elle balbutié, ce chemin accompli… Je pensais que vous seriez fier de moi.

— Fier de vous… Mais de quoi ? Vous n'avez rien fait ! On vous a tenue à bout de bras, ma pauvre ! Vous pensiez vraiment que ce petit con de Zébranski avait été saisi de remords ? Et la merveilleuse Constance qui a repris les rênes à votre place… elle serait arrivée par hasard ?

Il a soupiré, J'avais prévenu Charles, il y avait un risque et on est en plein dedans, voilà la conséquence de l'émancipation, qu'il ne vienne pas se plaindre, moi j'ai fait ma part du contrat, maintenant on vous dépose et je ne veux plus entendre parler de vous. Reprenez votre vie, elle vous va comme un gant. Et foutez-moi la paix.

Il s'est tourné vers moi comme si le sujet était réglé, la conversation terminée, On va faire vite, Mike, j'aimerais repasser chez Zelda, avec toute cette contrariété, la Petite n'a pas dû comprendre que je lui adresse à peine la parole.

Dans le rétroviseur, j'apercevais Mariette prostrée, pliée en deux, la tête sur les genoux. Je l'ai entendue murmurer le prénom de son mari, Charles, Charles, j'avais de la peine pour elle, j'avais envie de m'excuser, lui dire que je n'étais pas au courant, on était au même niveau d'information elle et moi, enfin je ne parlais pas de Zébranski ou de la femme de ménage, ça c'était *la méthode*, mais ce coup à trois bandes avec le mari au milieu, le plan, c'était pas honnête, et puis Jean aurait pu me prévenir avant de la massacrer de cette manière, mais subitement elle s'est jetée vers l'avant, a saisi le frein à main. Les pneus ont hurlé, la voiture a pilé, Espèce de folle, a grondé Jean, vous voulez nous tuer?

Mais elle a planté ses yeux dans les siens, des yeux fulminants, cette fois il n'y avait plus de prostration, plus de soumission, elle crachait des flammes, Adieu Jean, j'espère que vous avez pris du plaisir à tirer les ficelles du pantin que je fus, au moins autant que votre petite Zelda – ou devrais-je dire Millie, puisque c'est son véritable prénom – en aura pris à vous manipuler, ce sera toujours une consolation.

Elle a jailli hors de la voiture, Jean a hurlé, Mike, rattrapez-la! Mais qu'est-ce que je pouvais faire, on était samedi soir en plein centre-ville, les trottoirs étaient couverts de monde, je n'allais pas sortir un flingue et lui susurrer de remonter en voiture comme ils font dans les films, on n'était pas au cinéma et puis, pour être franc, je n'avais aucune envie de la rattraper.

Je me suis contenté de sortir, histoire de donner le change, assez lentement pour lui laisser le temps de disparaître, déjà Jean me rappelait, Miiiiiike, ça suffit, qu'elle aille au diable et son mari avec!

Il éructait tandis que je redémarrais, C'est une vipère, elle ment, elle transforme, elle veut m'atteindre en attaquant Zelda, rien d'étonnant elle est jalouse, Zelda possède ce qu'elle n'a pas, ce qu'elle a perdu, la beauté, la jeunesse, la faculté d'être aimée, sachez Monsieur Mike que depuis bien longtemps, cette femme m'envoie des signaux, des allusions, qu'elle me bombarde de ses phéromones, j'ai pris sur moi pour Charles Lambert, mais avec un résultat pareil, une demande de divorce, ah bravo! Il doit être fou de rage à l'heure où nous parlons, et le pire, c'est qu'il voudra me mettre ça sur le dos : c'est le propre des politiques, ils donnent l'ordre de tirer et ils s'étonnent de voir des cadavres.

Tandis que nous roulions, les observations de Sylvie me revenaient en boucle, *la cuculidé*, la *bourgeoise dépressive* – les mêmes termes que Jean –, elle était donc au courant pour Mariette.

— Monsieur Hart, pardonnez ma question, vous êtes un peu dur avec Mariette Lambert, non? Je veux dire, c'est pas mes oignons et je suis pas sûr d'avoir tout compris, mais si elle veut divorcer, qu'est-ce que ça change pour vous?

— Charles Lambert est extrêmement influent, Mike. Non seulement il y a des subventions conséquentes à la clé, mais grâce à lui, et c'est peut-être le plus important, nous avons la paix. Notre entreprise est visionnaire, mais nos méthodes sont trop décomplexées pour nombre de grincheux, et nous avançons sur des œufs. Sans les appuis de Charles, nous serions fortement exposés. Il va être très contrarié par cette lubie de séparation. Dans sa situation et compte tenu de ses prises de positions politiques, un divorce, ce serait un vrai scandale. Sans compter l'avortement de sa femme! Imaginez, si ses adversaires l'apprennent! J'espère seulement qu'il se souviendra de ce qu'il me doit avant de nous jeter avec l'eau du bain.

On était arrivés devant chez la Petite.
— Laissons cela pour le moment. Occupons-nous plutôt de Zelda.
J'ai tiqué, je n'aimais pas cette expression, *occupons-nous de Zelda*, je n'aimais pas non plus son ton froid, son front froissé, j'ai failli lui demander s'il avait une arrière-pensée, parce que si c'était le cas j'aurais préféré ne pas être prévenu au dernier moment comme ça avait été le cas pour Mariette, mais j'ai réalisé combien c'était ridicule, combien je virais parano, à ma décharge ça devenait compliqué de savoir où étaient la vérité et la justice dans ce fatras d'actes et de sentiments.

MILLIE

Les cartons éventrés encombraient le parquet, certains encore remplis de leur chargement inutile. Après le départ de Mariette, je m'étais laissée glisser sur le canapé. J'avais essayé de bouger, un peu, un effort bref, mon corps refusait de répondre. J'étais ailleurs – près de mes frères.

J'attendais.

Il viendrait, tôt ou tard. Mariette parlerait, parce qu'elle aimait Jean et qu'une femme amoureuse ne cache jamais un secret très longtemps. Il viendrait réclamer des comptes. Quel dommage que notre trio ait joué cette comédie usée, elle l'aime, mais il en aime une autre qui ne l'aime pas – j'étais le chaînon malade, la porte close, l'impasse, le mur sur lequel tout se fracasse, quel dommage.

Lorsqu'il a sonné – je savais que c'était lui, ça ne

pouvait être personne d'autre –, je me suis sentie soulagée, j'en avais fini avec la fuite, la dissimulation, j'en avais fini avec le mur et le jour sans fin.

Il était toujours avec Monsieur Mike, mais sans Mariette, le regard incisif et tendu, la main fébrile, je n'ai pas attendu qu'il parle, je préférais prendre les devants, Vous avez le droit à une explication, ai-je murmuré, ce n'était pas facile vous savez, le mensonge c'est ce dont on m'a accusée pendant toutes ces années, on a dit que je n'assumais pas, on a dit que je refusais l'obstacle, on m'a accordé sans conviction de vagues circonstances atténuantes dues à mon jeune âge, mais enfin que pouvais-je faire ?

Feindre l'amnésie, essayer d'y croire, me convaincre d'un futur en essayant d'être une autre était l'unique possibilité de vivre.

Ils ont échangé un regard, il y avait de la stupeur chez Mike, de la consternation et de la colère chez Jean, Je ne voulais pas le croire, a-t-il grondé, ainsi donc Mariette Lambert disait vrai, vous m'avez promené, vous m'avez utilisé, vous n'avez jamais perdu la mémoire, les bras m'en tombent, vous, Zelda, vous, comment avez-vous pu !

— Comprenez-moi, Jean. Je désirais tellement l'être, *amnésique*, je le voulais plus que tout, si seulement, lorsque j'ai sauté après l'incendie, si seulement j'avais pu oublier qui j'étais, et puis votre vocation n'est-elle pas de réparer ce qui est brisé ?

» J'étais en mille morceaux, un trou noir, une béance, je ne savais plus marcher, je ne savais plus respirer et vous avez surgi comme une source au milieu du désert!

Ses traits se sont crispés, j'ai cherché du secours dans les yeux de Monsieur Mike, mais il demeurait immobile, impénétrable, tandis que Jean tremblait de tous ses membres, bouillait, Vous comprendre, non Zelda, ça non, je ne peux pas l'accepter, je ne peux pas tout accepter, c'est un précédent intolérable, vous avez dépassé les bornes, vous avez joué les agents doubles, vous avez abusé de ma confiance, peu importe votre état, ce n'était pas à vous d'en juger, je suis le patron de l'Atelier, je suis le créateur, je suis celui qui décide et non celui qui exécute, je suis celui qui sauve et vous le méprisez!

Mon ventre m'a fait défaut, mes jambes, j'ai dû me rasseoir un instant, je voulais qu'il m'écoute, qu'il sache que j'étais sincère, J'ai réfléchi, Jean, j'ai appris, vos leçons ont porté, j'ai compris que l'épreuve est une ressource, que la vie est merveilleuse, je m'en souviendrai désormais, mais si vous saviez d'où je viens, je ne suis pas une opportuniste, je n'ai rien fait d'autre que tenter de survivre.

Mais il ne m'écoutait pas, ou si peu. Sa voix avait pris cette inflexion métallique, inquiétante qu'il avait parfois – *Il faut, je, j'ai*, vous êtes pitoyable d'égocentrisme, Zelda, Millie, ou qui que vous soyez, d'où vous venez, je m'en fous, si vous comptiez m'en parler, c'était à l'hôpital qu'il fallait le faire, aujourd'hui je ne veux plus rien entendre, plus rien savoir, je suis déçu, Zelda, presque autant par moi que par vous, quand je pense que j'ai cru, enfin bref l'homme est faible, vos vingt-trois ans et votre beauté n'y sont pas étrangers, et puis cette ressemblance – mais vous ne lui arrivez pas à la cheville, oh non, vous n'êtes pas même une pâle copie et pourtant je suis tombé dans le piège –, passons, vous avez volé la vie que vous menez, maintenant vous allez me la rendre.

La *rendre*? J'avais peut-être pris la place d'un autre, mais il était trop tard pour revenir en arrière.

– Je regrette de vous avoir déçu, Jean, pour être franche, je vous croyais capable de compréhension sinon de compassion, votre discours me laissait espérer une autre issue, mais puisque c'est ainsi, puisque vous fermez la porte, restons-en là, faisons en sorte de ne plus nous croiser, vous m'effacerez de vos dossiers, vous me mettrez au compte de vos échecs et vous n'entendrez plus parler de moi, je suis désolée.

Une expression violente a tordu son visage.

– Encore une fois vous croyez pouvoir décider vous-même du cours des événements, des modalités, quelle impudence, quelle erreur… J'appellerai Robertson lundi à la première heure, préparez-vous à chercher du travail.

Il avait beau cogner fort, j'encaissais ses coups sans broncher. J'aurais aimé que les choses se passent autrement, il était excessif, injuste, mais après tout j'étais la coupable, j'étais celle qui l'avait blessé, trompé, je ne me sentais pas le droit de lui en vouloir, je pouvais tout accepter. Et puis j'étais gagnante, au bout du compte. J'avais repris confiance en moi, retrouvé le goût de concevoir, d'avancer, d'échanger, d'accomplir. Le goût d'être. J'étais prête.

— Robertson n'aura pas à me mettre à la porte, Jean, je lui présenterai ma démission — à lui aussi c'était difficile de mentir. Grâce à vous, je sais désormais ce que je vaux et ce que je suis en droit d'espérer. Ce que j'ai réussi chez Robertson, je le réussirai ailleurs.

Au moment où je terminais ma phrase, j'ai compris que quelque chose clochait. Son sourire cynique, cette attitude qui signifiait *cause toujours petite*, et surtout celle de Mike, son regard pétri d'inquiétude en direction de Jean, comme s'il cherchait à lui faire passer un message, Ce que vous valez, ma chère, il a ricané, eh bien ne vous surestimez pas trop, l'ascension risque d'être plus difficile sans vos anges gardiens, sans moi Robertson ne vous aurait ni engagée, ni promue, et sans Mike vous n'auriez jamais eu ce succès auprès des Chinois, au passage, bravo Mike, excellent travail, l'enchaînement ce jour-là, je le conserve comme un cas d'école, le retard négocié avec Vauzelles, la voiture de cette Sandra, le vol du sac à main, et puis votre pauvre mère malade, quelle imagination, alors vous on peut dire que vous méritez votre salaire!

Mike? Monsieur Mike?

– Vous avez suivi le chemin que nous avons balisé pour vous, Zelda, à chaque instant veillée par Monsieur Mike comme le lait sur le feu, protégée, encadrée, pauvres idiots dévoués que nous étions, pauvres naïfs ouvrant nos âmes et nos bras, mais hop, tout ceci disparaît voyez-vous, c'est Cendrillon ma chère, vous retrouvez votre citrouille et vos nippes, il n'y a plus de bonne fée, dès lundi à la première heure Sylvie se chargera de vous rendre votre identité de menteuse et de récupérer tout ce qui cesse de vous revenir, dès lundi vous aurez rendez-vous avec l'existence que vous méritez, vous reprendrez votre route là où nous l'avions laissée ensemble, à la porte de cet hôpital – et ne vous avisez pas d'aller contre ma volonté, je ne sais pas ce qui me retient de vous intenter un procès en escroquerie.

Je n'entendais plus qu'un mot sur deux, mon cœur écrasé de peine, Mike m'avait menti, Monsieur Mike et sa vieille mère, nos confidences, nos éclats de rire, nos conversations graves, je le regardais tétanisée, mais il ne niait pas, il se taisait Monsieur Mike, je l'ai apostrophé, Alors rien n'était vrai de tout ça, tu étais en service commandé, ma valeur exacte sur le marché je m'en fous, figure-toi, le carrosse transformé en citrouille je m'en fous, c'est secondaire aujourd'hui, la vraie blessure c'est toi, toi qui avais aboli ma solitude et nourri mon courage, tu n'étais qu'un trompe-l'œil, une illusion, un mirage ?

Jean avait cet air satisfait du vainqueur après le K.O. de l'adversaire. Je me suis dirigée vers la porte, je l'ai ouverte, j'ignore ce qui me portait, de la colère ou du chagrin, j'avais cessé de penser, cessé de conclure, je ne voulais plus qu'une chose : qu'ils disparaissent tous les deux.

Monsieur Mike est sorti le premier. Durant tout le temps qu'avait duré cette visite, il était resté silencieux, pas un mot, pas un souffle, même pas un battement de cils lorque je m'étais adressée à lui – au fond, c'était peut-être mieux ainsi.

Jean l'a suivi et sans se retourner, il a claqué la porte derrière lui.

MONSIEUR MIKE

— Une petite bière, ça nous détendrait, non ? a fait Jean en sortant de l'immeuble.

Il me prenait pour un jambon, pour un con quoi, un pauvre type qui fait là où on lui dit de faire et qu'une petite binouze suffit à rendre heureux, en même temps un pauvre type c'est exactement ce que j'étais, j'avais chié sur commande dans les bottes de la Petite et maintenant c'était moi qui sentais la merde.

— Pardon, monsieur Hart, mais il fallait vraiment lui mettre une balle dans la nuque ? La mettre dehors, c'était pas suffisant ?

— Une balle dans la nuque, voyez-vous ça. C'est la vérité qui vous gêne ?

— Causez pas de vérité, j'ai rétorqué, la vérité elle brille par son absence, si je fais le compte, tout le monde ment dans cette histoire, Mariette Lambert, son mari, Zelda, Robertson, vous et moi, Sylvie sans doute, et tous ceux qui travaillent à l'Atelier, tous ceux qui y sont passés, celui que j'ai remplacé et celui qui prendra ma suite, le mensonge comme arme de construction massive, c'est ça votre truc, ce qui m'échappe c'est que vous en vouliez tellement à Zelda, elle n'a rien fait d'autre qu'appliquer les méthodes que vous employez pour vous-même.

– Quelle admirable prise de conscience, a ironisé Jean, quel sens de la formule, une arme de construction massive, pour un bidasse vous avez du langage mon vieux! Vous feriez sans doute mieux à ma place? Vous devriez voir la liste des gens que mes *mensonges* ont sauvés depuis vingt ans. Vous devriez leur demander qui a fait leur bonheur, s'ils se sentent trahis, s'ils en éprouvent le moindre regret. Ils se moquent de connaître les détails, croyez-moi. Faites preuve d'humilité, Mike, votre réaction est dictée par votre ego, vous auriez aimé conserver l'estime de Zelda, cela comptait, votre proximité, votre complicité, c'est ça qui vous fait mal, chuter du piédestal, car allons, avouez-le, vous n'y étiez pas indifférent, d'ailleurs qui était indifférent à Zelda? Moi-même je suis tombé dans son jeu, sous son charme, je le confesse, mais cela ne suffira pas à me détourner de mon chemin, je vous préviens Mike, ne me mettez pas en colère plus que je ne le suis déjà, vous avez donné votre accord pour faire le sale boulot, les méthodes, vous les connaissez depuis l'origine, vous avez admis qu'elles étaient efficaces même si peu orthodoxes, vous avez encaissé le salaire et accepté le titre qui y étaient attachés, et maintenant vous crachez dans la soupe? Et vous osez parler de vérité?

» Ce n'est pas moi, ni l'Atelier que vous devriez juger. Nous n'avons jamais tué personne, au plus nous avons secoué quelques récalcitrants, et cela toujours pour la bonne cause – je vous l'accorde, Mariette Lambert est un cas limite, je veux bien assumer cette erreur. Quoi qu'il en soit, je n'ai jamais cessé d'être cohérent avec mes objectifs, ni avec mes valeurs. Je doute que vous puissiez en dire autant.

Il avait raison. Au fond je mentais comme les autres, à moi le premier. Je courais depuis l'enfance derrière la reconnaissance et j'étais prêt à tous les paradoxes et tous les arrangements pour l'obtenir. Je m'étais plaint d'être aimé pour un uniforme – comme si ce costume noir n'en était pas un. J'avais quitté l'armée parce qu'on y exigeait une obéissance aveugle et je m'étais soumis aux ordres de Jean. Qu'est-ce qui n'allait pas chez moi? Où étaient ma victoire et ma liberté?

J'avais couru derrière l'amour de ma mère, celui de Natalie et de toutes ces femmes qui ne m'avaient jamais aimé que pour le steak, la galette ou le treillis, et quand enfin l'une d'elles, Zelda, m'avait montré un tant soit peu d'amitié et d'intérêt, je m'étais montré infoutu de la respecter.

J'étais un escroc, un baltringue qui se la joue héros mais qui rêve d'être monsieur Tout-le-monde avec une adresse et un taf, j'avais pété plus haut que mon cul et je m'étais fait un trou dans le dos, y avait pas de quoi être fier.

On est montés dans la voiture, ruminant l'un et l'autre en silence. En arrivant à l'Atelier, Jean m'a pris par l'épaule, Allons Monsieur Mike, nous avons vécu une journée difficile, nous avons échangé quelques mots superflus, je fais mon *mea culpa*, vous savez la pression n'épargne personne, c'est que tout cela me touche, plus que vous ne l'imaginez, je ne suis pas fait de métal, je peux être friable moi aussi, allons, demain sera un autre jour, de nouveaux dossiers nous seront confiés, des êtres en souffrance qui ont besoin de nous, oublions l'épisode et ne décevons pas ceux qui nous font confiance.

J'ignore si c'est cette main sur mon épaule, sa voix subitement radoucie, tout s'est éclairci, clarifié, un tas d'images, d'odeurs, de sons, de mots se bousculaient, se superposaient comme pour se remettre en ordre, j'ai répliqué, Il ne faudra pas compter sur moi, monsieur Hart, vous pouvez chercher un autre gorille pour porter votre fardeau, moi je démissionne.
Sa paume a glissé dans mon dos, Mon *fardeau*, a-t-il répété l'air soudain vidé, épuisé, et j'ai su que c'était le moment, je le tenais dans le viseur comme

un sniper, ces sept lettres c'était la combinaison du coffre-fort, je n'avais plus qu'à entrer, C'est bien ça, ai-je ajouté, votre fardeau, je ne crois pas qu'il y ait d'autre mot, quand c'est tellement lourd que ça vous fait déraper.

— Venez dans mon bureau, Mike, a-t-il murmuré.

Plus tard, le soir, je suis allé chez Sylvie. Je n'ai rien raconté de mon ultime conversation avec Jean, j'ai simplement dit que le boulot ne me convenait plus, que j'étais pas taillé pour, malgré les apparences. Il y a eu des parlementations, des supplications, elle ne cachait pas sa joie de savoir Mariette et la Petite hors jeu, mais me voir quitter l'Atelier ça la mettait sens dessus dessous, elle avait eu beau jouer les chars d'assaut, elle s'était attachée, enfin dans les limites du raisonnable, quand elle m'a demandé où me faire suivre mon courrier et que je lui ai répondu, Ma belle, ma prochaine adresse, c'est un beau porche avec vue sur la sortie des poubelles du Franprix, elle a pâli, reniflé, Tu ne vas pas faire ça, Mike, repartir dans la cloche?

— Bah que veux-tu que je fasse d'autre, j'ai rétorqué, poser mon paquetage dans ton salon?

Elle est restée comme deux ronds de flan, son affection avait des limites, elle ne comptait pas héberger de manière permanente un ex-S.D.F. à peine réinséré et déjà en quenouille — tant mieux, ça m'évitait d'avoir à lui refuser, je n'avais jamais eu l'intention de m'installer avec elle.

J'ai passé ma dernière nuit à l'Atelier sans fermer l'œil, occupé à ressasser les mots et les hoquets de Jean, à absorber les effluves laissés par Zelda, à imprimer l'écho de son rire dans le couloir vide, le Z encore dessiné sur sa porte, comme si je pouvais mettre au sec mes souvenirs de la vie rêvée pour les soirs de muflée, quand j'aurais l'âme nostalgique.

Au matin j'ai plié mes deux costumes, rangé mes affaires dans mon sac de l'armée, c'était un dimanche tranquille, le ciel était dégagé, au moins, je n'aurais pas à affronter la pluie.

J'ai glissé la clé de ma chambre dans la boîte aux lettres de l'association et refermé sans bruit la porte derrière moi.

MARIETTE

J'ai erré longuement dans la ville, sans prêter attention aux rues que j'empruntais, aux gens que je croisais, aux bruits, aux couleurs, il fallait encaisser, absorber, jamais de toute ma vie je ne m'étais sentie plus isolée ni plus insignifiante. J'ai pensé un instant appeler Judith, mon amie d'enfance, mais elle admirait Charles envers et contre tout et serait bien capable de justifier son comportement.

Ce serait tellement simple pour lui : il réécrirait l'histoire en sa faveur, jurerait avoir voulu m'aider à reprendre confiance tout en restant dans l'ombre, se présenterait comme mon bienfaiteur désintéressé. Personne en dehors de moi ne pouvait évaluer l'ampleur de sa manipulation, son pouvoir de nuisance, la finesse de ses stratégies. Il aurait le dernier mot, comme à chaque fois.

Combien d'éclats entre nous. Combien de guerres froides. Le même vainqueur, toujours. Encore aujourd'hui.

Je marchais, les images revenaient, mes défaites, mes renoncements, un tassement progressif à mesure qu'il s'épanouissait, sa carrière politique, ses succès, son ascension fulgurante alors qu'on le donnait pour mort après cette sordide affaire de financement occulte, unique parenthèse de faiblesse durant laquelle je l'avais soigné, épaulé contre les rumeurs, soutenu envers et contre tous, oubliant les mauvais traitements et les humiliations passés, partageant sa souffrance, assumant mon devoir tandis qu'il déclinait, évoquait son déshonneur, envisageait le pire – entre deux sanglots il avait manifesté ses remords, son amour, *Je n'ai pas toujours été juste avec toi*, quinze ans plus tard, j'entends encore ces mots résonner comme des coups de canon.

Quinze ans? Soudain j'ai cessé de respirer, tout est devenu clair, quinze ans de fidélité, avait dit Jean tout à l'heure, ce ne pouvait pas être un hasard, la traversée du désert de Charles concomitante à l'apparition de Jean dans sa vie, elle était là l'explication, il était là le lien, Jean avait volé au secours de Charles au moment où il était à terre!

Il n'était plus que l'ombre de lui-même, lâché par ses amis politiques, piétiné par ses ennemis, lorsqu'un soir, il était rentré l'œil brillant, fiévreux, Je m'en sortirai, avait-il annoncé avec une assurance aussi subite que déroutante, je ferai triompher la vérité, ils m'ont trop vite enterré, c'était mal me connaître, ils verront, tous, ce dont je suis capable, ils regretteront de m'avoir traîné dans la boue.

Charles était un égoïste cruel, narcissique, obsédé par sa carrière, mais je le savais innocent de ce dont on l'accusait. J'avais été heureuse de le voir retrouver sa combativité et lorsque, à la surprise générale, le principal témoin à charge s'était rétracté, entraînant le non-lieu puis les excuses de ses plus virulents accusateurs, j'avais été la première à lever mon verre – sans me douter que cette victoire signait pour moi la fin de la trêve.

Quel rôle avait joué Jean? Quelles méthodes avait-il employées? Le témoin avait-il été encouragé à changer de conduite, tout comme Zébranski l'avait été récemment?

Une chose était sûre, il l'avait *réparé*, lui aussi.

Je marchais, les pensées se bousculaient, se brouillaient, le parallèle entre nous m'étourdissait, fais le point Mariette, calme-toi!

Charles avait appelé Jean à l'aide non pour me sauver mais pour se sauver lui, pour éviter le scandale, il avait besoin d'offrir l'image d'une famille unie, équilibrée, nous étions son fonds de commerce et les élections approchaient.

– Excusez-moi, madame, a fait une voix derrière moi, vous pourriez m'aider? Je suis perdu.

Je me suis retournée, un homme me souriait, un simple touriste égaré qui tenait par la main deux enfants, un homme qui m'avait choisie moi, parmi tous les passants, parce que sans doute je lui inspirais confiance, parce que je lui semblais rassurante, capable de *l'orienter* !

Et soudain, c'est comme si l'on m'avait tirée d'un long sommeil, j'ai vu se dessiner deux possibilités d'avenir, la chute ou l'élévation, la soumission ou la rébellion, la morgue de Charles contre ma détermination – j'ai su où je voulais aller.

Jean avait peut-être agi pour de mauvaises raisons et usé de pratiques lamentables, mais il avait réussi son pari. Je n'étais plus la *petite bourgeoise dépressive*, j'étais solide et forte. Loin de m'abattre, ces dernières révélations me donnaient la rage d'aller plus loin. Le moment était venu d'affronter Charles.

Il a ouvert la porte avec son air cynique, Je t'attendais, a-t-il craché, mais je l'ai coupé, Je te conseille de garder tes menaces, je les connais déjà, l'argent, les enfants, ton pouvoir de nuisance, tout cela n'est plus valable depuis que tu as changé d'interlocutrice, depuis que tu as missionné l'Atelier, épargnons-nous de longs débats et passons un accord, il y a ce que tu veux et ce que je veux, il y a ce que l'on sait de nos secrets, ou devrais-je dire de *tes* secrets, alors voilà ce que je te propose, tu vas déménager et me laisser poursuivre ma vie comme je l'entends, en échange de quoi je serai discrète, je resterai officiellement ta femme, je remplirai mon rôle lorsque ma présence sera nécessaire et pour tout ce qui concernera nos fils. En dehors de cela, je ne veux plus aucun contact et ne t'avise plus jamais de t'adresser à moi comme tu l'as fait dans le passé, ni d'intervenir dans mes choix, ou bien tu devras en assumer les conséquences.

Je n'avais pas tremblé, je n'avais pas baissé les yeux. J'étais sous pression, oui, mais je n'avais pas flanché. Je savais ce que je valais. Je savais qu'il était un monstre.

Un monstre pétrifié de haine.

— Je précise que je suis coopérative uniquement parce que tu es le père de mes enfants, ai-je ajouté, galvanisée par mon audace. Au passage, je te déconseille de les dresser contre moi, si cela devait se produire, notre accord ne tiendrait plus et je me verrais dans l'obligation de soulager ma peine en publiant mes mémoires.

— Mariette, a-t-il tenté.

— Stop.

Charles était ignoble, mais il était intelligent et réfléchissait vite.

— Je prendrai un appartement dans le quartier, ce sera plus simple, a-t-il lâché, glacial.

— D'ici là, tu devras dormir sur le canapé. Tu imagines aisément qu'il n'est plus question de partager le même lit. Sur ce, je vais prendre l'air, ici c'est irrespirable.

Je me suis précipitée dehors, je ne voulais pas qu'il voie mon émotion. De la musique filtrait d'un bar, de l'autre côté de la rue ; un verre me ferait le plus grand bien.

MILLIE

Les idées tournoyaient à la manière d'une courroie de transmission qui aurait lié mon cœur à mon cerveau et mon estomac à mes poumons, Mike, Jean, l'enfer pavé de bonnes intentions, le pieux mensonge, mes frères, les fils de Mariette, Mike, Monsieur Mike, la nausée, le chagrin, la déception, le jour d'après, respirer, respirer, être juste.

On a frappé à la porte, des coups secs, j'ai entendu la voix de Mariette, Millie, c'est moi!

C'était la première fois que l'on m'appelait par mon prénom depuis l'incendie. J'ai ouvert.

– Jean est venu? a-t-elle questionné, mais elle connaissait la réponse. Je te demande pardon, j'ai été faible, j'aurais dû me taire, ne pas t'impliquer, mais il m'attaquait et c'était si cruel, féroce, j'ai voulu me venger je suppose, j'ai voulu qu'il sache qu'il était trompé autant qu'il trompait, tout est allé si vite et maintenant, si tu savais, je mets de l'ordre dans ma vie.

Je peinais à la suivre, c'était flou, précipité, alcoolisé, Cruel, Jean a été cruel ? J'ai pensé au dépit amoureux, Jean avait sans doute rejeté durement ses avances, mais c'était autre chose, quelque chose de bien plus sombre, de bien plus effrayant, elle a commencé à parler et ne s'est plus arrêtée avant tard dans la nuit, il fallait ce temps pour me dire d'où elle venait, les années de souffrance, de torture psychologique, d'isolement, le piège conjugal, la comédie de Charles, la comédie de Jean et avant ça l'amour et la vie avortés.

Je l'ai prise dans mes bras, j'ignore qui de nous deux consolait l'autre, elle avait l'âge d'être ma mère mais ce soir j'étais la plus vieille, j'avais cent ans, je l'ai rassurée, Ne t'en fais pas pour moi Mariette, de toute façon je ne pouvais pas continuer comme ça, si tu n'avais rien dit c'est moi qui aurais parlé, Mariette, ton mari est malade, c'est un pervers narcissique, ces gens-là sont dangereux, ces gens-là réussissent à berner leurs victimes jusqu'à les laisser penser que ce sont elles qui sont folles, mais c'est terminé, tu n'es plus sous son emprise, en cherchant à te manipuler une fois encore, la fois de trop, il t'a perdue pour de bon et toi tu as gagné.

Nous avons parlé jusqu'à l'aube, confrontant nos parcours, nos échecs, nos solitudes, jusqu'à la rencontre avec Jean.

Et quoi ? Malgré ses méthodes douteuses et son orgueil incommensurable, malgré sa brutalité et malgré sa folie – il fallait être fou pour vouloir décider du bonheur des autres, fou pour jouer avec leur destin, il fallait se croire l'égal de Dieu ou son prophète –, eh bien malgré cela, il fallait se rendre à l'évidence : Jean nous avait libérées l'une et l'autre. Non en actionnant un Zébranski ou un Robertson, qui n'avaient été que des accélérateurs, mais en provoquant dès l'origine notre prise de conscience – il était là, le véritable levier. Et malgré l'étrangeté du chemin, aucune de nous deux n'aurait voulu revenir à sa vie *d'avant*.

– Ce qui est bizarre, c'est que je n'arrive pas – plus – à le haïr, avait conclu Mariette alors que le soleil montrait ses premiers rayons. Je crois même qu'il était sincère lorsqu'il me poussait à vivre, je crois qu'il oubliait qu'il était en service commandé, sauver les gens, ça reste la grande affaire de sa vie. Avec moi, il a été dépassé par son succès. Ce qui m'ennuie, ce qui me perturbe, c'est ce pauvre gamin, j'espère qu'ils ne l'ont pas traumatisé, et encore, même avec lui, regarde le résultat, Zébranski s'est mis au travail, il va sauver son année ! Mon Dieu, Millie, je suis sur le point de justifier tout et n'importe quoi, la vérité c'est que je ne regrette rien, une fois le coup encaissé, je suis heureuse d'être là, en face de toi, loin de mon mari, j'ai franchi le pas le plus important de ma vie, j'ai franchi le seuil. Est-ce que je manque de lucidité ? Est-ce que je manque de fierté ?

— La vérité, c'est que je n'arrive pas à en vouloir à Mike. Il m'a peut-être ouvert les portes de cette réunion, mais c'est moi qui l'ai menée. Je n'arrive même pas à culpabiliser du sort qu'il a réservé à Sandra – presque une blague de potache après tout, et puis Sandra n'était qu'une sale peste. Est-ce que je manque d'objectivité ? Est-ce que je laisse mes sentiments m'aveugler ? Quant à Jean, je l'ai utilisé à mon profit : ai-je le droit de le juger ? Je n'en suis pas sûre. Il y a seulement cette réaction que je ne m'explique pas. Cette dureté, cette absence totale d'indulgence. Ce n'est pas comme si j'avais abusé de ses services ! Je n'étais pas amnésique, certes, mais j'étais perdue, j'avais réellement besoin de son aide. Il m'a rejetée avec une telle violence.

— Il y a deux Jean… L'homme attentif et généreux, mais aussi le psychorigide qui perd la raison dès qu'il perd le contrôle.

— C'est ce qui me trouble, Mariette. Un homme désuni ne peut pas être heureux. Je crois que j'éprouve une sorte de compassion.

Elle m'a souri tendrement.

— De nous deux, tu es la plus sage. Certaines années comptent double, n'est-ce pas ?

Mariette m'a proposé de me loger chez elle dès que son mari aurait déguerpi, en attendant que je me réorganise – sans caution ni salaire, je ne pouvais pas rester ici. Il me faudrait trouver un autre emploi, mais, aussi étonnant que ce soit, je n'étais pas inquiète. Je reprendrais l'intérim et cette fois, plutôt que m'effacer, j'existerais. Je saurais creuser mon trou. J'avais l'appétit nécessaire, ce goût de vivre depuis si longtemps perdu de vue. Je me sentais neuve. Comme disait Jean, ce n'était qu'une question d'*intention*. Cela, il ne pourrait pas me l'enlever.

Charles a quitté son appartement le surlendemain. Mariette et lui avaient expliqué aux garçons qu'il devait se concentrer sur sa campagne – les élections législatives étaient imminentes.

Lorsqu'elle est venue me chercher avec mes cartons, j'ai su que ce serait la dernière épreuve, vivre près des jumeaux – à un mois près, ils avaient l'âge de mes frères.

J'ai su aussi que j'y parviendrais : depuis que Max et Thomas étaient apparus dans le couloir de l'Atelier, l'autre nuit, j'avais pu affronter l'irrationnel et museler ma culpabilité. J'avais admis les choses telles qu'elles s'étaient vraiment déroulées : un effroyable fait-divers.

Max et Thomas ne se sont pas formalisés, ni de l'éloignement de leur père, ni de mes mouvements, ils étaient deux adolescents absorbés par d'autres priorités.

Mariette et moi avons continué à refaire le monde chaque soir, après son retour du collège – l'Atelier occupait l'essentiel de nos conversations. Un jour, nous vilipendions la folie de Jean, imaginions les dérives de son système et songions à dénoncer ses actes – avant de réaliser que nous n'aurions aucune chance d'être crues sur parole. Le lendemain, nous pensions à ces femmes et ces hommes que nous avions croisés à l'Atelier, dans les cours de Mariette, dans le bureau de Sylvie, des vies recomposées, épargnées, des tragédies évitées, Jean avait volé au secours de toutes sortes de gens, des riches comme des pauvres, des beaux comme des laids, des jeunes comme des vieux, des hétérosexuels, des homo-sexuels, tous fracassés par l'existence, leur seul point commun étant cette fêlure qui les traversait de part en part et qu'il s'employait à ressouder. Soudain, nous ne savions plus où se trouvait, comme le disent les médecins, le rapport *bénéfice-risque*.

Nous évoquions Mike aussi, le « cas Mike », comme le nommait Mariette chaque fois que je prenais sa défense. N'avait-il pas exécuté des ordres en étant persuadé de leur bien-fondé ? Pouvait-on le lui reprocher ? Ne devait-on pas plutôt considérer qu'il avait été manipulé lui aussi ? Aussi fou que cela paraisse, il me manquait.

– Il y avait autre chose dans ses yeux, Mariette. Quelque chose de vrai. Quelque chose de sincère, qui n'avait rien à voir avec l'Atelier.

— Souviens-toi qu'il est parfois difficile d'identifier l'illusion…

— Souviens-toi qu'il est parfois salutaire d'écouter son instinct…

Deux semaines après le *grand chambardement*, comme nous l'appelions toutes les deux, en exhumant le contenu du disque dur d'un vieil ordinateur abandonné depuis des années, Mariette avait retrouvé des courriers échangés entre Jean et Charles. On pouvait y suivre le fil de leur relation. Jean avait choisi de *sauver* Charles en *faisant vigoureusement appel* (ses termes, précisément) à la *conscience* du témoin à charge. Un peu plus tard, il avait fait pression sur Charles pour que ce dernier appuie un projet de loi en faveur d'un livret d'épargne à taux élevé, spécifiquement réservé aux adultes handicapés. Il était également question de dons aux œuvres et de subventions.

— Le pays des bien-pensants…, avait commenté Mariette. On se rend service entre *gens bien.*

À la même période, j'ai décidé qu'il était temps pour moi de prendre des nouvelles de Kanarek. Je n'avais jamais cessé de penser à lui, mais la peur d'être identifiée avait été la plus forte, et malgré l'affection silencieuse que je lui portais, je m'étais tenue à distance de mon ancien quartier. Aujourd'hui, j'ignorais même si l'immeuble dans lequel nous vivions avait pu être préservé après l'incendie.

Un samedi matin, j'ai donc préparé avec soin des madeleines et des muffins au chocolat avec l'aide de Mariette, qui avait proposé de m'accompagner. J'en ai rempli une jolie boîte en fer que j'ai enveloppée dans du papier cadeau, puis nous nous sommes mises en route.

L'immeuble était couvert d'échafaudages qui cachaient en partie les langues de suie encore visibles sur la façade. En tordant la tête, j'ai aperçu deux rideaux fleuris accrochés à la fenêtre de Kanarek.

La porte de la gardienne, au rez-de-chaussée, était entrouverte. J'ai pris une longue inspiration, et je suis entrée.

Monsieur Mike

Le farfadet avait mis les réacteurs en me voyant arriver. Tellement pressé qu'il avait laissé un pack à moitié entamé, bénédiction, je l'ai sifflé dans le quart d'heure.

J'ai su qu'il était revenu depuis peu, monsieur faisait l'intermittent du spectacle, un mois à l'ombre, quelques jours sur scène, et c'était reparti pour un tour, à peine sorti il se faisait ramasser.

Rien n'avait changé ou presque, il y avait toujours foule autour des poubelles, quant au porche il était resté dans son jus, les copropriétaires n'avaient pas réussi à se mettre d'accord sur le montant des travaux à engager.

Il ne m'avait pas fallu une demi-journée pour détecter une cave confortable où j'avais déroulé le tapis de sol offert par Sylvie comme cadeau de départ, quand j'étais venu chercher mon solde de tout compte.

Pour toute effusion, elle m'avait embrassé sur la joue, sans plus – j'ai compris quelques secondes plus tard que Jean n'était pas le seul à m'avoir déjà trouvé un successeur, un grand type blond en costume noir faisait le beau dans le hall en lui lançant des regards éloquents. Bien. Tout était nominal, elle et moi au moins on ne s'était jamais raconté d'histoires, aucun des deux ne comptait vraiment pour l'autre, on s'était rendu service et c'est tout, pour la suite c'était sans aigreur ni reproche, je ne jetais la pierre à personne.

Parfois, tandis que le soir tombait, je repensais à la Petite, le plus dur c'était de ne pas lui avoir parlé, je m'en voulais d'avoir affalé le grelot, j'aurais pu au moins lui donner ma version des faits, lui dire aussi ce que j'avais découvert, c'était pas rien quand même, ça changeait la compréhension des choses, mais en crétin de première classe j'avais attendu le lendemain pour réagir, et le lendemain, tu parles, il n'y avait plus personne à l'appartement, elle avait disparu sans laisser d'adresse.

C'était comme des rafales de tristesse, cette sensation d'avoir marché toute ma vie à côté de mes godasses, jamais au bon endroit, toujours à contre-temps, jusqu'à comprendre enfin qui j'étais, jusqu'à savoir enfin ce qui me manquait, mais juste un peu trop tard. Au moins ici, sur mes marches, je ne me ferais pas d'illusion, il n'y avait rien ni personne à attendre, ici personne ne m'aimerait pour l'allure, l'enveloppe ou le pognon – peut-être bien que personne ne m'aimerait tout court, mais ça je m'en foutais, j'avais découvert que la seule chose importante, c'était la vérité.

Puis ce samedi est arrivé, un samedi plus chaud que d'habitude – dès le matin, je l'avoue, j'avais abusé des rafraîchissements et j'avais la tête un peu lourde –, de l'autre côté de l'avenue j'ai aperçu sa silhouette gracile et gracieuse que j'aurais reconnue entre toutes, elle traversait la rue accrochée au coude de Mariette Lambert, le pied hésitant, la tête inclinée, était-elle souffrante? Mon cœur de plomb s'est retourné comme une peau de bête, la Petite, découpée dans le premier soleil!

J'ai bondi tandis qu'elles atteignaient le trottoir. Mariette m'a vu la première, écarquillant les yeux, Monsieur Mike, ça alors, quelle surprise!

La Petite s'était arrêtée net, bouche ouverte, elle est demeurée un instant interdite, un instant qui m'a paru une vie, puis elle s'est avancée, Enfin, Mike, a-t-elle soufflé, Mike, mais que fais-tu ici?

– Étrange question, ai-je répondu en tentant de masquer mon émotion : je suis chez moi!

J'ai montré mes marches, sur lesquelles trônaient mon sac et un plaid bleu, C'est là, Zelda, que je vivais avant l'Atelier, c'est là que je suis revenu, du matin au soir j'observe ce qui passe, les hommes, les femmes, les chiens, les nuages, les vols de moineaux, les papiers froissés, l'eau du caniveau, le flot des voitures, les roues des vélos, les employés qui sortent fumer leur clope, les gamins qui se tiennent par la main et les pigeons qui chient, à part ça Petite, je voulais te demander pardon, c'était ce mirage, le boulot, le salaire, le toit, la respectabilité, j'ai dérapé, la vérité, Zelda ou Millie, peu importe, la vérité c'est que je pensais t'aider, c'est que je n'ai pas su comment faire autrement, par faiblesse, par lâcheté, par bêtise ou par naïveté, j'étais sur tes traces, dans ton ombre, je voulais te protéger, je voulais faire de mon mieux, quel gâchis! Quoi qu'il en soit j'ai laissé tomber mes fonctions, l'Atelier, et puis Jean, ses petits mensonges et son grand secret, parce que tu sais, lui aussi a son monstre, sa dévoration, sa raison d'État, il la porte sa croix, si lourde qu'elle t'a écrasée, alors voilà Petite, désormais il n'y aura plus de masques, de couvertures, de dossiers confidentiels, plus rien à cacher, et lorsque je quitterai ce porche, parce qu'un jour je le quitterai, quand, comment et pourquoi je l'ignore encore mais je le quitterai, ce que je peux te jurer, c'est que ce sera sans déguisement, sans dissimulation et la tête haute.

Mariette avait reculé d'un pas. La Petite a froncé les sourcils.

— De quel monstre parles-tu, a-t-elle murmuré. De quelle croix?

— Je parle de l'origine des choses. De ce qui fait

que cet homme t'a aimée, de ce qui fait qu'il t'a broyée – ou du moins essayé. De ce qui a conduit son existence et construit l'Atelier. La mort de sa femme, Petite. La voiture n'a pas glissé sur une flaque d'huile ou de verglas, pas plus qu'Élise ne l'a précipitée contre un arbre. C'est Jean qui était au volant, c'est lui qui a perdu le contrôle. Ils se disputaient, elle est morte, il a survécu. La voilà l'histoire, aussi simple que ça : Jean Hart a tué la femme de sa vie et depuis, il s'évertue à régler la facture.

– Voilà pourquoi il m'a demandé de vous remplacer le jour du déménagement, est intervenue Mariette, songeuse. Le discours à préparer ce jour-là, c'était un prétexte. C'est vrai ! Il ne conduit jamais, il se trouve toujours un chauffeur. Mais Mike, comment… quand avez-vous su ?

– Le dernier soir, après être passé avec lui chez Zelda. Il y avait ce refus de conduire bien sûr, et aussi cette manière de voler au secours de son prochain à tout prix, ce soulagement quand un « dossier » était réglé – croyez-moi, ce regard je le connais, j'en ai vu des gradés qui avaient perdu un homme après une décision de merde et qui passaient le reste de leur vie à tenter d'en sauver d'autres… Mais c'est cette réaction qui a tout éclairé, sa brutalité quand il a découvert que la Petite lui mentait… J'avais tous les morceaux du puzzle.

– Qu'est-ce que j'ai à voir avec tout ça ? a questionné Zelda, troublée.

– Tu ressembles à Élise, Petite. J'ai vu des photos,

tu as son nez, ses taches de rousseur, son allure – il paraît même que tu as sa voix. Je me doutais qu'il éprouvait une affection particulière pour toi, mais je n'en imaginais pas les proportions. Ce soir-là, j'ai compris. Tu l'incarnais. Tu étais une promesse de rédemption. L'ultime réparation.

– Alors c'est ça, il est tombé amoureux de toi, a lâché Mariette. Je croyais que c'était de la fascination, mais c'était de la névrose.

La Petite était bouleversée.

– Je sentais qu'il me dévisageait sans cesse… Mais j'avais peur d'être paranoïaque, alors je finissais par me convaincre d'avoir rêvé…

– On était dans son bureau ce soir-là, ai-je poursuivi. Rien que lui et moi, dans l'Atelier désert. Je lui ai simplement dit que j'avais compris. Que ce n'était pas juste vis-à-vis de toi, Petite, que tu n'avais pas à payer les erreurs qu'il avait pu commettre. Tu n'avais fait aucun mal, aucun tort. Tu avais seulement essayé d'avancer. De vivre !

Si tu avais vu son visage se fissurer comme la terre sèche de la Kapisa. Son regard sombrer, ses doigts se crisper sur sa poitrine. Si tu avais entendu ses mots, Petite, quand il a raconté. Je ne dis pas que ça excuse tout, hein ? Je n'oublie rien… Il a été partial et même cruel. Il a manipulé Mariette. À toi, il a voulu ôter sans hésiter ce que tu avais construit. Malgré tout, je n'ai pas pu m'empêcher de penser que cet homme, qui cherche sans cesse à guérir les blessures des autres, ne pourra sans doute jamais soigner les siennes.

— Il suffirait pourtant qu'il applique les leçons qu'il transmet avec tant de conviction, a rétorqué Mariette. Mais pour ça, il faudrait qu'il commence par s'accepter tel qu'il est : avec ses limites.

La Petite a eu un regard tendre et triste à la fois.

— Nous faisons tous les mêmes erreurs. Fuir nos fantômes plutôt qu'apprendre à vivre avec.

Un rai de lumière traversait une mèche de ses cheveux et éclairait ses joues, mon Dieu qu'elle était jolie. Instinctivement, je me suis rapproché. Elle a pris ma main dans les siennes.

— Dire que je suis passée chaque jour devant ce porche sans même remarquer ta présence, a-t-elle repris. J'habitais tout à côté, dans la rue adjacente. Je rasais les murs et j'évitais les regards, sauf, bien sûr, le soir de l'incendie. Tout était si différent ce soir-là. J'avais suivi ces gens, j'avais bu avec eux, je ne sais plus comment je suis rentrée, je me suis affalée sur mon canapé, l'immeuble était en flammes quand je me suis réveillée.

Une larme perlait au coin de son œil gauche. Mariette s'est approchée d'elle à son tour, l'a entourée de ses bras.

— Kanarek est mort, Mike, c'était mon voisin et bien plus encore, mais cela, avant, je l'ignorais puisque j'étais aveugle et sourde, emmurée en moi-même ! Il déclamait Dostoïevski en russe et jetait du bortsch par sa fenêtre lorsqu'il était en colère, quand on l'a sorti du brasier, il était inconscient, a-t-il su qu'il mourait ?

Nous nous sommes tus tous les trois. Devant nous, la circulation s'épaississait, les moteurs s'échauffaient, les passants portaient des sacs de courses en pressant le pas ou, au contraire, promenaient leur chien le nez en l'air. Mariette a regardé sa montre.

Les meilleurs moments ont une fin, ai-je pensé, il faut bien qu'elles repartent. Et même qu'elles disparaissent. J'avais le ventre en torchon, mais je n'ai rien laissé paraître.

– Ne vous mettez pas en retard, ai-je lancé maladroitement, presque pressé d'en terminer. Je suis content de vous avoir revues : le hasard aura bien fait les choses, finalement.

– Le hasard ? Moi, je n'y crois pas, a coupé Mariette. Au contraire, je crois que tout ceci a un sens.

Elle a lancé un clin d'œil à la Petite, On a un projet un peu fou vous savez, Monsieur Mike, je vais reprendre les leçons que je donnais à l'Atelier dès que j'aurai trouvé un local. Millie aussi donnera des cours, du traitement de texte, des tableurs, de quoi être autonome avec un ordinateur entre les mains, et une de mes collègues s'occupera du français. Il y avait beaucoup de demandes à l'Atelier ! Tant de gens ont besoin d'une remise à niveau, d'un coup de pouce pour postuler à un emploi ou simplement ne plus dépendre des autres, être capable de décider. Ce sera notre manière de faire tourner la roue. Mais une chose est sûre, nous aurons besoin de bonnes volontés pour mettre tout ça en place. Qu'en dites-vous, Mike?

La Petite semblait soudain si radieuse.

Alors j'ai compris qu'il foutait le camp, le malheur, pour de bon, tout ce qui me collait aux basques depuis mes sept ans révolus, les saloperies, les trahisons, les abandons, et peut-être bien que c'était que provisoire, peut-être bien que d'autres batailles se pointeraient un jour ou l'autre, peut-être même qu'il y aurait encore quelques coups, quelques déceptions, tout ça n'avait plus vraiment d'importance : désormais j'étais bien plus fort dedans que dehors.

Discours de remerciement à l'occasion de la remise des insignes de Chevalier dans l'ordre de la Légion d'Honneur à M. Jean Hart (Extraits)

Monsieur le Premier Ministre,
Monsieur le Préfet,
Monsieur le Député,
Mesdames et messieurs les grands élus régionaux,
départementaux et locaux,
Mon Général,
Chers amis,

C'est avec gratitude et fierté que je reçois aujourd'hui l'honneur que vous me faites.

Si vous le permettez, ma première pensée ira vers mon épouse disparue, Élise Hart, qui fut et demeurera à jamais l'inspiratrice majeure de mon combat. Elle m'a enseigné combien la vie est un cadeau fragile et précieux à la fois.

Sa mort brutale, si elle m'a d'abord plongé dans

l'obscurité et le désarroi, m'a aussi éclairé sur les limites de l'être humain. Chacun de nous peut un jour être confronté à sa propre impuissance, glisser, chuter et même mourir, par ignorance mais surtout par solitude. Aide-toi et le ciel t'aidera, prône la morale de la fable. Mais la vérité, c'est que l'on se relève rarement seul. La vérité, c'est que bien souvent le malheur exclut et que si certains ont la chance d'être aidés sans réserve, nombreux sont ceux qui, une fois à terre, sont incompris, rejetés ou tenus à distance, y compris par leurs proches. Ils pénètrent la spirale de l'isolement, du repli sur soi, de la désespérance.

Il faut alors se battre pour les ramener à la vie. Prendre la main de celui qui ne vous la tend pas, forcer le destin, offrir un miroir magique qui montre à ceux que la souffrance aveugle ce qu'ils ont en eux de beau et de grand. Parfois même tordre la réalité, s'autoriser des libertés – chacun ici comprendra ce que ces mots recouvrent : savoir jusqu'où aller trop loin en respectant son engagement et sa conscience est un art exigeant.

C'est toute la mission que je me suis assignée, et avec moi mes camarades de l'Atelier durant ces trente dernières années. Je crois pouvoir dire que nous l'avons remplie avec succès.

Cependant, je vous le confesse, j'ignorais qu'en allant ainsi au-devant des autres, c'est moi que je rencontrerais. La voici, ma grande découverte : j'ai reçu plus que j'ai donné, et c'est la raison pour laquelle je tiens à partager ce soir cette décoration avec tous ceux qui m'ont accompagné.

Mes chers amis, si vous êtes rassemblés ici, c'est que tous vous avez, de près ou de loin, directement ou indirectement, contribué au succès de cette entreprise.

Et si certains parmi vous ont été, je le sais, fort surpris d'être conviés à cette cérémonie, c'est d'abord à eux que je veux rendre grâce.

Qu'il me soit donc permis de remercier tout particulièrement Mariette Lambert-Monteil et Millie Becker, dont je salue au passage l'action au sein de leur *École ouverte*. Notre chemin commun, s'il fut épineux, douloureux, jalonné de conflits et même d'amertume, m'a plus appris sur moi-même en quelques semaines que je n'avais pu le faire en vingt ans. Et c'est ensemble que nous avons appris à pardonner – même s'il nous a fallu du temps pour y parvenir.

Mariette, Millie, je ne saurais bien sûr vous citer sans associer la mémoire de Michel Jean-Pierre, que beaucoup ici ont connu sous le nom de Monsieur Mike. La maladie qui l'a emporté voici deux ans nous a privés d'un être humain précieux dont nous regrettons l'absence chaque jour. Où que vous soyez, Monsieur Mike, sachez que vous nous manquez terriblement.

Enfin, je tiens à remercier chaleureusement ma collaboratrice Sylvie Mertens, dont la loyauté n'a d'égale que l'implication, et avec elle tous les membres permanents et bénévoles de l'Atelier qui ont supporté mon mauvais caractère avec une patience exemplaire. (…)

Ensemble, nous poursuivrons notre tâche avec l'énergie sans cesse renouvelée que les causes justes engendrent, et nous approprierons encore et encore – non sans malice – cette phrase d'Albert Camus : vouloir, c'est susciter les paradoxes.

Remerciements

À Karina Hocine-Bellanger, pour la finesse de ses conseils,
À Corinne Rives et Lydie Zannini, pour leur soutien inestimable,
À mes parents, pour leur générosité sans limite,
À mes enfants, pour l'amour qu'ils me donnent chaque jour.

CET OUVRAGE A ÉTÉ COMPOSÉ
PAR DOMINIQUE GUILLAUMIN (IN FOLIO)
ET ACHEVÉ D'IMPRIMER SUR ROTO-PAGE
PAR L'IMPRIMERIE FLOCH À MAYENNE
POUR LE COMPTE DES
ÉDITIONS J.-C. LATTÈS
17 RUE JACOB – 75006 PARIS
EN JANVIER 2013

N° d'édition : 05 – N° d'impression : 84118
Dépôt légal : janvier 2013
Imprimé en France